Discernindo a voz de Deus

Discernindo a voz de Deus

Como reconhecer quando Deus está falando

PRISCILLA SHIRER

Traduzido por Valéria Lamim Delgado Fernandes

Copyright © 2007, 2012 por Priscilla Shirer
Publicado originalmente por Moody Publishers, Chicago, Illinois, EUA.

Os textos das referências bíblicas foram extraídos da *Nova Versão Transformadora* (NVT), da Tyndale House Foundation, salvo indicação específica.

Todos os direitos reservados e protegidos pela Lei 9.610, de 19/02/1998.

É expressamente proibida a reprodução total ou parcial deste livro, por quaisquer meios (eletrônicos, mecânicos, fotográficos, gravação e outros), sem prévia autorização, por escrito, da editora.

Cip-Brasil. Catalogação na publicação
Sindicato Nacional dos Editores de Livros, RJ

S56d

    Shirer, Priscilla, 1974-
    Discernindo a voz de Deus : como reconhecer quando Deus está falando / Priscilla Shirer ; tradução Valéria Lamim Delgado Fernandes. - 1. ed. - São Paulo : Mundo Cristão, 2024.
    224 p.

    Tradução de: Discerning the voice of God
    ISBN 978-65-5988-338-7

    1. Deus (Cristianismo). 2. Escuta – Aspectos religiosos – Cristianismo. I. Fernandes, Valéria Lamim Delgado. II. Título.

24-92380   CDD: 231.7
                                 CDU: 27-14

Categoria: Inspiração
1ª edição: agosto de 2024

Edição
Daniel Faria
Revisão
Ana Luiza Ferreira
Produção
Felipe Marques
Diagramação
Gabrielli Casseta
Capa
Jonatas Belan

Publicado no Brasil com todos os direitos reservados por:
Editora Mundo Cristão
Rua Antônio Carlos Tacconi, 69
São Paulo, SP, Brasil
CEP 04810-020
Telefone: (11) 2127-4147
www.mundocristao.com.br

Jerry, este livro é dedicado a você.
Muito obrigada por ser exemplo de alguém que anseia ouvir a voz de Deus, dedica tempo para ouvi-lo e me incentiva a fazer o mesmo.

Sumário

Entre amigos   9

Parte 1: Entenda como ele fala
   1. Se você estiver ouvindo   17
   2. Informações privilegiadas   38
   3. O que você quer?   52
   4. O que é melhor do que um arbusto?   66

Parte 2: Reconheça o som da voz de Deus
   5. Ele é persistente   81
   6. Ele se comunica de forma pessoal   95
   7. Ele traz paz   109
   8. Ele o desafiará   121
   9. Ele exala verdade   132
   10. Ele fala com autoridade   149

Parte 3: Lembre-se do que ele deseja realizar
   11. O melhor é conhecê-lo   163
   12. Parece um plano   172
   13. Sim, Senhor   186
   14. Expectativas maiores   202

Fontes das citações   219
Agradecimentos   221
Sobre a autora   223

Entre amigos

Agora vocês são meus amigos.

João 15.15

Há conhecidos e há amigos.

Os conhecidos o reconhecem quando o veem, perguntam sobre a idade de seus filhos, querem saber quando foi a última vez que você ouviu falar de alguém que ambos conheciam.

"Passe bem. Prazer em vê-lo."

Já os amigos... coloque dois amigos juntos por dez minutos, e eles logo estarão envolvidos na vida um do outro. Eles se conectam pelo coração, não apenas por um abraço ou um aperto de mão.

E é assim que me sinto neste momento, conectando-me com você por meio das páginas deste livro: como amigos. Talvez você já tenha estado aqui comigo antes, há muitos anos, quando coloquei essa mensagem no papel pela primeira vez. E agora temos a oportunidade de colocar o assunto em dia e expandir o que aprendemos desde aquele momento.

Se esta é a primeira vez que nos encontramos, então é um prazer tê-lo como um novo amigo, porque temos um desejo de ouvir a voz de Deus que nos une em espírito. É provável que seja um desejo acerca do qual cada um de nós admitiria espontaneamente sentir certa frustração, mas, no final, trata-se de algo sem o qual sabemos que simplesmente não podemos viver.

E, graças a Deus, não precisamos viver sem ele.

Talvez, como eu, você tenha passado muitos anos de sua vida sem ouvir ou, pelo menos, sem reconhecer a voz de Deus. Você lê na Bíblia sobre pessoas com as quais ele falou. Ouve de cristãos hoje que falam sobre como Deus falou com eles. Mas talvez sejam raras as vezes, se é que houve alguma vez, que você diria ter experimentado pessoalmente esse tipo de conexão com ele.

Posso me identificar completamente com isso. Sei muito bem como é não ouvir nada além de silêncio depois de orar várias vezes por algo, ou estar tão confuso com pensamentos e vozes tumultuadas a ponto de não conseguir distinguir a voz de Deus no meio da multidão. Sei quais são os tipos de sentimentos e atitudes que acompanham a falta da expectativa real de que ele apareça e aponte direções.

Sim, entendemos as dúvidas uns dos outros quando o assunto é discernir a voz de Deus.

Contudo, mesmo que eu tenha levado ao Senhor uma boa dose de teimosia e de impaciência como materiais para ele trabalhar, posso me sentar aqui hoje e testemunhar a você, pela misericórdia de Deus, que ele me levou muito longe. Por meio de sua longanimidade e constância, ele me convidou a conhecê-lo melhor. E quanto mais intimidade tive com ele, mais sua voz se tornou familiar para mim. Ele se provou para mim porque ama provar que sua Palavra é verdadeira — para todos os seus filhos.

Para você.

Por isso, com toda a confiança que alguém possa ter, quero assegurar-lhe hoje que Deus fala. Estou aprendendo que, se meus ouvidos espirituais estiverem abertos, a mesma voz que me chamou para sua luz maravilhosa falará em meu dia a dia.

A Bíblia declara que Deus é o mesmo "ontem, hoje e para sempre" (Hb 13.8) — no sentido de que o mesmo Deus que falou com os profetas do passado também fala com seus filhos hoje. O Antigo Testamento diz que o que distinguia a fé dos israelitas de todas as outras era que Israel "ouviu a voz de Deus" (Dt 4.33). O apóstolo Paulo, escrevendo no Novo Testamento, lembra-nos de que a diferença entre o relacionamento que temos com o único Deus verdadeiro e o relacionamento que os pagãos têm com seus ídolos é que os deuses deles são "mudos" (1Co 12.2).

Essa natureza interativa de nosso relacionamento com o Todo-poderoso torna nossa fé única. Não se baseia em regras ou regulamentos, em peregrinações árduas que devemos fazer ou em rios sagrados nos quais devemos nos banhar. O fundamento de nossa fé consiste na doce comunhão com Deus, que, sem dúvida, biblicamente, deseja que nosso relacionamento com ele seja íntimo e, ao mesmo tempo, interativo.

Falando sério, você realmente acha que ele o amou a ponto de morrer por você, mas não a ponto de falar com você?

Quando andou por este mundo, Jesus se revelou espontaneamente a todos ao seu redor, tendo plena consciência de que muitos, se não a maioria, o rejeitariam. Por que, então, ele não teria um desejo profundo de falar conosco — nós que o recebemos mediante a fé por meio de sua misericórdia e graça? Ele *deseja* falar conosco. Na verdade, ele dá máxima prioridade a isso, porque é fundamental para o tipo de relacionamento que deseja ter conosco.

E assim, sabendo disso, não podemos deixar de perguntar...

- Então, por que não o ouvimos?
- O que nos impede de reconhecê-lo?
- Como podemos saber quando ele está falando?

É disso que trata *Discernindo a voz de Deus*. Meu objetivo neste livro é estar ao seu lado, assim como outros estiveram (e continuam) ao meu, compartilhando o que aprendi e quanto cada um de nós pode crescer e vivenciar nessa busca por ouvir a voz do Senhor.

Mas quero ter certeza de que você me entende quando uso a palavra "crescer", porque é isso que estamos fazendo aqui. Estamos crescendo. Ninguém tem todas as respostas, por mais que as pessoas afirmem que seu conhecimento é totalmente infalível. Mesmo depois de termos chegado juntos ao final deste livro, ainda assim seremos mais do que capazes de permitir que nosso ser caído seja um obstáculo ao que realmente desejamos de nossa caminhada com o Senhor. Mas, uma vez que seu amor por nós é imenso, ele permitirá que até mesmo nossos erros e falhas sejam bons mestres para o futuro, à medida que continuamos a praticar e nos desenvolver sob sua instrução magistral.

À medida que crescemos.

Quando comecei a praticar *jogging*, por exemplo, mal conseguia chegar à metade do quarteirão sem ofegar e tossir, e, por fim, ficar sem energia. No entanto, por mais desanimador que fosse para meus objetivos de aprimorar a forma física, não pude deixar de notar que a própria tentativa estava provocando algo positivo em mim. Meu corpo estava respondendo aos exercícios. Mesmo ainda caminhando mais do que propriamente correndo enquanto tentava completar o circuito de uma volta no quarteirão até chegar à minha casa, eu estava começando a ver pequenos progressos a cada dia. Por mais lastimável que possa ter parecido a cena para quem ria de mim das janelas do bairro, e por mais lento que possa ter sido o processo de esperar que minha habilidade para correr viesse à tona, algo estava acontecendo. Meu corpo estava mudando e minha resistência aumentando, mesmo enquanto eu estava aprendendo. O processo de crescimento não é uma perda de tempo. Há benefícios a cada pequeno passo do caminho.

E graças ao Senhor por isso! É exatamente por esse motivo que incluí tantas histórias pessoais neste livro. Quero que você veja o que essa jornada representou para mim — uma jornada que não comecei nem terminei apenas lendo um livro ou fazendo um curso, mas sim por meio da obra paciente que o Senhor realizou (e ainda está realizando) em minha vida em sentidos muito práticos. Quando eu cometia erros, quando não conseguia ouvi-lo ou ficava impaciente à espera de sua direção, muitas vezes era como se a jornada não tivesse valido a pena e como se eu jamais pudesse fazer isso direito. Mas espero que essas experiências muito pessoais que tive mostrem como cada passo com ele me ajudou a enxergar com mais clareza do que antes. Minha oração também é para que você descubra como a sua própria aventura com Deus tem o mesmo objetivo: construir uma lição valiosa após a outra à medida que ele o traz cada vez mais para perto dele.

Sei como desistir pode ser fácil, e como pode ser desanimador quando você sente que Deus não tem interesse em conversar com você e lhe revelar sua vontade. Há muita coisa trabalhando contra você. Dos enganos do inimigo à sua própria fadiga e fraqueza, toda essa situação pode parecer uma busca impossível. Mas este livro não chamou sua atenção por acaso. Deus está falando até mesmo agora, despertando mais uma vez em você o desejo e a expectativa de ouvir sua voz. E não importa qual seja seu ponto de partida, você pode começar a crescer de novo. A se aproximar cada vez mais. A ouvi-lo.

O que estou prestes a lhe mostrar não são apenas diretrizes gerais, por mais eficazes que sejam. Algumas diretrizes nos ajudam a aprender a ouvir a voz de Deus. Mas o que é importante lembrar é que elas "funcionam" simplesmente porque *Deus* está falando — não porque *nós* apertamos os botões corretos ou colocamos as peças na ordem correta. Deus fala conosco porque nos ama. E, se não houver um relacionamento com ele, nenhum esforço ou tentativa poderá arrancar um sussurro que seja dos céus. Essa é a obra *dele*. A vontade *dele*. Tudo o que ele pede é seu coração receptivo.

Então, enquanto nos preparamos para começar a sério, façamos uma oração para que Deus abençoe o que está prestes a nos dar e nos abra o coração, na convicção plena, sem sombra de dúvida, de que ouviremos sua Palavra e seu Espírito.

Vamos começar.

Priscilla

PARTE 1

Entenda como ele fala

1
Se você estiver ouvindo

> Quando você entrar na casa de Deus, tome cuidado com o que faz e ouça com atenção. […] Afinal, Deus está nos céus, e você, na terra; portanto, fale pouco.
>
> Eclesiastes 5.1-2

Tudo começou como um simples almoço com uma velha amiga. Era para ser apenas isso. Eu estava sentada em frente a Jada, uma leal confidente que eu conhecia desde a infância, discutindo cada detalhe de um problema que vinha me deixando muito preocupada. Ela é uma mulher sábia, sempre foi — uma pessoa perspicaz. Por isso, eu sabia que ela poderia me dar bons conselhos.

Conseguimos reservar uma hora em nossas agendas cheias em um dia de semana à tarde para nos encontrarmos. Sugeri um restaurante próximo, não tanto para comer, mas para aprofundar a conversa. Assim que nos levaram à mesa, já comecei a compartilhar alguns dos pontos principais de meu problema. Antes mesmo de nos sentarmos, e também depois, enquanto o garçom falava, o copo de água era enchido, os pratos principais eram servidos e a sobremesa era apresentada, eu mal parava para respirar, falando sobre cada detalhe e sutileza da situação.

Solidária, minha amiga querida concordava com a cabeça entre as garfadas de salada e os goles de chá gelado. O ocasional "hum-hum" sugeria que ela ainda estava acompanhando meu longo e confuso raciocínio. Então, enquanto os pratos eram retirados e a conta era entregue, recostei-me na cadeira e finalmente respirei. Vi Jada olhar para o relógio e tirar algo da bolsa.

— E então... o que você acha que eu devo fazer? — perguntei, um pouco impaciente com sua resposta hesitante.

— Priscilla — respondeu ela, muito gentil e delicadamente —, eu tinha umas coisas para dizer, mas você não parou de falar nem um minuto para ouvir.

Oh!

Nada como aquelas fiéis "feridas feitas por um amigo" (Pv 27.6) para nos acertar em cheio no rosto com a verdade. Com amor.

> *Se estamos sempre impacientes, deixamos pouco espaço para a direção poderosa de Deus ressoar em nossa agenda e coração já cheios.*

Dirigi para casa naquela tarde um pouco desapontada. Não havia obtido a clareza que esperava. Jada não falou muito. Mas, refletindo sobre sua resposta para meu desabafo de uma hora, o Espírito Santo *falou* algo. Com convicção penetrante. Eu não estava me aproximando dele da mesma maneira? Falando, falando, falando, falando... orando (soa melhor assim). Mas, na maioria das vezes, apenas falando, me repetindo, analisando, racionalizando. Como Jada, Deus estava me lembrando do seguinte: "*Eu tenho algumas coisas para lhe dizer, Priscilla, mas você não para de falar nem um minuto para ouvir*".

E com isso fui disciplinada. Talvez tenha recebido a lição mais profunda até hoje sobre ouvir a voz de Deus, e isso acertou meu coração em cheio.

Se eu quisesse ouvir, teria de prestar atenção.

Criar tempo, espaço e oportunidade para ouvir a voz de Deus é fundamental para aqueles de nós que desejam sentir a convicção do Espírito de Deus, receber sua orientação minuciosa e discernir sua direção íntima. Antes mesmo de começar a explorar mais instruções sobre como Deus fala — ou até mesmo *por que* ele fala —, precisei perguntar a mim mesma se queria ouvi-lo o suficiente para deixar de ser eu a falar para que pudesse ouvir.

Tudo começa aqui: se quisermos ser capazes de perceber sua

direção, precisamos diminuir os passos, aquietar o coração e prestar atenção a fim de entender como o Espírito de Deus se comunica.

Quanto mais continuei a contemplar as implicações desse conceito, mais percebi que ele não se aplica apenas à minha vida de oração. Pelo contrário, serve como base para ouvir a voz de Deus em todos os momentos, quer eu esteja de joelhos em oração quer esteja em pé, correndo com os pormenores de minhas responsabilidades diárias.

Em se tratando da leitura da Palavra de Deus, significa abordá-la com a mente aberta e o coração não sobrecarregado com as próprias opiniões e ideias sobre o que o texto está dizendo. Significa aproximar-se das Escrituras com tempo para meditar e refletir sobre sua aplicação pessoal.

Nos ritmos regulares da vida, significa estar disposta a esperar e observar, perceber para onde Deus está se movendo antes de correr para tomar uma decisão. Significa não ter todas as respostas que eu gostaria de ter, mas não ficar cansada com isso, permanecendo em silêncio e paciente enquanto ele me dá o que realmente preciso saber, entendendo que esse "espaço vazio" — essa postura de ouvir que me deixa tão agitada e desconfortável — é exatamente o vazio que ele pode preencher com sua sabedoria e direção divina. Significa estar atenta à correnteza da atividade contínua de Deus sob a superfície dos acontecimentos diários.

A lição estava se tornando cada vez mais clara: criar e dar margem para ouvir a voz de Deus é fundamental para discernir sua voz. Porque, nesse espaço, nós o buscamos, nos inclinamos para ele e o reconhecemos de um modo que talvez não conseguíssemos em outras circunstâncias. Ao fazer isso, temos a oportunidade de saber de fato com quem estamos lidando. Se estamos sempre impacientes, preenchendo as margens de silêncio durante a oração, em nossas tomadas de decisão e em todos os outros aspectos da vida, deixamos pouco espaço para a direção poderosa de Deus ressoar em nossa agenda e coração já cheios.

Portanto, ao começar sua jornada ao longo das páginas deste livro, e antes de examinarmos os detalhes de como se pode discernir a direção de Deus, eu gostaria que você refletisse sobre essa questão fundamental que é *prestar atenção*, na qual, em última instância, se baseia a capacidade de ouvir a voz de Deus. O que está em sua lista de perguntas para Deus neste exato momento?

Eu deveria
- me casar com essa pessoa?
- aceitar essa posição?
- analisar essa oportunidade?
- participar dessa atividade?
- aceitar esse acordo?
- permitir esse resultado?
- interromper esse processo?

Perguntas sobre trabalho... carros... criação de filhos... compras importantes... decisões médicas... até mesmo questões sobre qual família desapontar por não comparecer nas festas de Natal. Algumas dessas são temporárias; outras podem mudar a vida. Algumas envolvem escolhas entre o bom e o melhor; outras entre o ruim e o pior. Mas todas representam problemas a serem resolvidos, decisões a serem tomadas. Perguntas.

Essa lista poderia continuar, não é? Nossa vida é um catálogo, em constante mudança, de indagações pessoais intricadamente entrelaçadas para as quais cada um de nós precisa de direção divina a fim de navegar com precisão. Então, enquanto estiver pensando em sua lista de perguntas, acrescente outra, está bem? Aquelas outras eram para Deus; esta é para você...

Você sinceramente reservou um tempo para ouvir, para ver, para esperar, para observar — para deixar as margens que dariam a Deus a oportunidade de oferecer aquilo que você alega desejar de forma tão sincera? Ou você já preencheu todos os espaços concebíveis com suas próprias opiniões, ideias, decisões e ações — espaços que Deus poderia preencher com a visão perfeitamente oportuna, precisa e pessoal que ele tem?

A resposta para essa pergunta fundamental é, de fato, o lugar onde começa a jornada para ouvir a voz de Deus.

> Primeiro deixe que minhas palavras entrem até o fundo de seu coração. Ouça-as com atenção.
>
> Ezequiel 3.10

Preste atenção

Suspeito que pelo menos parte da razão pela qual você pôs os olhos neste livro em primeiro lugar é porque deseja entender profundamente esse conceito muitas vezes de difícil compreensão que é discernir a voz de Deus — talvez para seu crescimento espiritual em geral, mas talvez também por motivos pessoais e específicos. Você precisa saber algumas coisas de Deus em relação a um dilema ou uma decisão importante em sua vida, e gostaria de descobrir como ouvi-lo com mais clareza para que possa entender o que fazer.

Se aquilo com o que você está lidando fosse simplesmente uma questão de certo e errado, talvez não fosse tão difícil resolvê-lo. Minha oração é para que você já creia na verdade da Bíblia e em todas as diretrizes que nela estão claramente delineadas, por isso a validade desses mandamentos "explícitos" de Deus realmente não está em questão aqui (mesmo que

Uma das razões mais comuns pelas quais não ouvimos a voz de Deus é talvez a mais óbvia: não estamos prestando atenção.

você nem sempre esteja inclinado a segui-los). O que está em sua lista de perguntas agora é, muito provavelmente, algo do tipo "ou isto ou aquilo".

E, se você fosse obrigado a escolher uma resposta neste exato minuto, poderia argumentar tão bem a favor de uma opção quanto da outra. Depende do horário do dia. De seu humor. Do tipo de refeição que acabou de fazer.

Sem dúvida, você tem a Bíblia para consultar a fim de obter orientação, mas sabe que não pode simplesmente abri-la de forma aleatória, tirando versículos do contexto apenas para confirmar suas próprias escolhas. *Você realmente quer ouvir a voz de Deus.* Quer saber se as circunstâncias recentes que notou à sua volta são mais do que mera coincidência, ou se os comentários que ouviu alguém lhe fazer podem de fato ser um sinal da vontade e direção de Deus. Você quer ter certeza de que essa convicção que está sentindo não é apenas algo que criou.

E embora haja muitas razões para isso acontecer — algumas por causa de nossa impaciência, outras por causa de pecados não confessados em nossa vida que são obstáculos à conexão, outras ainda porque não sabemos nem o que estamos procurando quando se trata de sentir o impulso do Espírito, e outras por causa da decisão soberana de Deus de fazer-nos esperar um pouco mais do que gostaríamos (continue a ler, vamos chegar a todas essas coisas) —, uma das razões mais comuns pelas quais não ouvimos a voz de Deus é talvez a mais óbvia. E é a que eu gostaria que você considerasse aqui no início de nossa jornada juntos. Pode ser que...

Não estejamos prestando atenção?

Acredito que a maneira mais prática de começarmos a nos disciplinar nessa área seja em nossa vida de oração. Essa foi uma das revelações mais surpreendentes que tive em minha jornada com Deus sobre a questão de discernir sua voz. Tão simples, mas profunda. Aprendi isso com pessoas cuja caminhada com o Senhor admiro muito.

Quando vejo homens e mulheres cujo relacionamento com Deus é particularmente inspirador, não hesito nem um pouco em me aproximar e perguntar a que atribuem isso. E, sem exceção, cada pessoa a quem pergunto — não importa quem seja —, no fim diz o mesmo: "Reservo intencionalmente um tempo em minha vida de oração para ficar em silêncio e ouvir a voz de Deus".

Elas passam tempo com Deus em oração, ouvindo em silêncio para que ele fale. Pois, embora Deus fale em outras situações de vida além do lugar tranquilo e secreto de oração, essas pessoas sugerem que discernir com precisão a voz dele começa aqui. As conversas divinas começam nesse lugar e depois florescem graças à riqueza de seu solo e se estendem pelo restante do dia ocupado delas.

Ao refletir sobre a vida de oração desses cristãos, percebo por que minhas próprias orações muitas vezes são fracas e ineficazes. Começo a entender por que há uma desconexão entre o poder que desejo em minha vida de oração e o que estou experimentando. Por fim, posso identificar por que nem sempre consigo compreender o que Deus está dizendo para mim ou como está me guiando em uma situação em particular.

Simples. Não estou ouvindo.

E se as pessoas mais tementes a Deus que conheço — pessoas que tenho certeza de que ouvem a voz de Deus de forma regular e contínua — são as que passam mais tempo ouvindo em silêncio a voz dele, então eu quero ser esse tipo de pessoa também. Alguém que ouve a voz de Deus.

E você?

Então é aí que começamos.

> *Em um caso, eu estava ocupada demais para me aproximar de Deus. No outro, eu estava ocupada demais (mesmo enquanto estava com ele) para ele se aproximar de mim.*

Ouvir intencionalmente a voz de Deus parece ser uma arte perdida hoje em dia. Bem, sejamos honestos, o *período* dedicado ao ouvir é uma arte perdida. Raramente ouvimos uns aos outros, que dirá o Deus invisível. Em vez disso, inserimos muito barulho e atividades — parte disso é bem-intencionada, até mesmo religiosa, mas, ainda assim, acelerada. Na verdade, pensamos que Deus provavelmente não ficaria satisfeito conosco se não mantivéssemos esse nível de constante progresso. Acreditamos que toda a nossa agitação e ocupação na busca pela vida cristã de alguma forma faz com que ele fique mais propenso a falar conosco assim que reconhece quanto estamos dispostos a nos esforçar para trabalhar para ele.

Dessa perspectiva, parar para ouvi-lo a fim de dar espaço para sua orientação parece sem graça e normal. Muito fácil. Tranquilo. Uma perda de tempo para pessoas que podem realizar tanto quanto nós.

No entanto, toda essa nossa agitação, longe de nos ajudar, apenas nos deixa mais confusos e mais sobrecarregados de compromissos, menos capazes de ouvir a voz de Deus. Ao permitir que mil interrupções entrem à força, exigindo acomodação, apenas conseguimos nos colocar em situações de transigência e confusão. O inimigo conquista uma vitória toda vez que deixamos nossa agenda cheia invadir o santuário de nosso tempo silencioso com Deus. E quando permitimos que isso aconteça, estabelecemos um precedente que o resto de nossa vida parece acabar por seguir.

Veja se isso lhe parece familiar...

Na quietude da manhã, começo meu tempo de silêncio — para esses momentos reservo propositadamente a leitura da Bíblia, oração, meditação, o *ouvir* — e apoio os cotovelos no beiral da janela do céu, ansiosa pela comunhão com o Senhor.

Mas primeiro, para satisfazer minha curiosidade, vejo se recebi algum e-mail novo desde a noite anterior.

Quando finalmente volto, estou um pouco mais distraída, um pouco menos focada e menos perspicaz. De repente, o telefone toca. O nome na tela chama minha atenção, e sinto uma vontade compulsiva de pegar o telefone. A ansiedade é muito grande. Atendo.

Ah, não tem problema; terei esse tempo de silêncio antes de ir para a cama hoje à noite.

São dez da noite. As crianças finalmente estão na cama, a louça do jantar está lavada e as contas, por fim, foram pagas pela internet. Ao longo do dia, dei preferência a todas as outras coisas, uma após a outra, em detrimento desse tempo de quietude. Agora estou cansada e exausta. Lanço-me debaixo das cobertas com a Bíblia no colo. Em cinco minutos estou dormindo. Minhas boas intenções se apagam como minha luz noturna.

O inimigo sorri, sarcástico.

Então, na manhã seguinte, lá estou eu novamente, determinada a não deixar que outro dia comece sem passar um tempo com Deus. O que aconteceu comigo ontem não irá se repetir. Acordo bem cedo, pego uma xícara de chá e começo. Dedico trinta minutos inteiros

— quinze minutos passando os olhos em alguns capítulos da Bíblia e outros quinze percorrendo a lista de necessidades de oração que guardo em meu notebook. Quando o tempo acaba, não consigo acreditar como passou rápido. Levanto-me e sigo adiante com meu dia. Sinto-me orgulhosa por não ter deixado a oportunidade escapar novamente.

Mas será que de fato me saí melhor do que no dia anterior? Claro que sim, pois passar tempo com Deus de algum modo é melhor do que nada. Mas nenhuma oportunidade deu margem para Deus preencher. Em um caso, eu estava ocupada demais para me aproximar de Deus. No outro, eu estava ocupada demais (mesmo enquanto estava com ele) para ele se aproximar de mim. Em nenhum dos casos ouvi a voz de Deus, senti sua presença ou dei espaço para ser convencida por seu Espírito.

Ler um versículo, fazer uma oração ou cantar uma música pode nos ajudar a nos sentirmos melhor quanto a riscar o item "tempo de silêncio" de nossa lista de afazeres, mas essas coisas, por si só, não nos ajudarão a alcançar o que desejamos: conhecer a Deus mais intimamente, unir-nos a seu coração e receber sua direção para nossa vida.

Será que nos tornamos tão viciados em ocupações — não apenas em nosso dia a dia, mas também enquanto estamos de fato envolvidos em nossa devoção diária — que ficamos treinados *para não ouvir a voz de Deus*?

Arranjar tempo na oração para ouvir propositadamente a voz de Deus — sua voz e nada mais — nos reeduca para que possamos ouvir o sussurro do Espírito e adquirir a capacidade de ouvi-lo com clareza. Parar para ouvi-lo permite que nos familiarizemos com o que significa sentir a presença de Deus, além de ampliar nossa compreensão de seus planos para nós, vendo-os surgirem à luz.

Isso não significa que, durante os momentos devocionais, não possamos abrir a boca e compartilhar com Deus em oração o que se passa em nosso coração. Pelo contrário, não apenas *podemos* fazer isso, mas somos *instruídos* a falar e orar "a Deus pedindo aquilo de que [precisamos]" (Fp 4.6). No entanto, se quisermos ouvi-lo falar, também precisamos aprender a orar sem palavras. Ouvir sua voz. Buscar a simplicidade do silêncio com ele, em vez de nós mesmos consumirmos todo o tempo e espaço. Não podemos permitir que o que *estamos* dizendo nos impeça de ouvir o que *ele* quer dizer.

Não se quisermos ouvir a voz de Deus.

É por isso que aqui, no primeiro capítulo do livro, eu gostaria que avançássemos e fôssemos muito práticos sobre essa questão fundamental. Mais uma vez, acredito que ela estabelecerá o precedente para como isso se desdobrará nas outras dimensões de nossa caminhada com Deus. Ao longo dos anos, muitas vezes ouvi cristãos dizerem o que estou compartilhando com você agora: que devemos "dar ouvidos" a Deus se quisermos ouvi-lo falar conosco. Mas, por alguma razão, nunca me ocorreu que isso era uma disciplina concreta que eu pudesse aplicar de maneira prática a situações reais. Eu não percebia que ouvir não era apenas uma tarefa "espiritual" passiva que fazia parte de minha santificação progressiva ou algo do tipo.

> *A menos que nos disciplinemos intencionalmente a ficar quietos e ouvir, perderemos a maior parte do que ele está dizendo.*

Ouvir a voz de Deus é uma atividade intencional que devemos começar a praticar. É o investimento de tempo que devemos fazer para receber os dividendos espirituais de sabedoria de que tanto precisamos. A Bíblia diz que devemos "vir" a ele com os ouvidos bem abertos (Is 55.3) e "ouvir" com atenção (Ec 5.1). Quinze vezes no Novo Testamento, o Senhor enfatiza o que deseja dizer com estas palavras: "Quem tem ouvidos para ouvir, ouça" (Ap 2.29 é um exemplo).

Portanto, acredite que essa disciplina exige certo esforço. Se deseja se tornar um ouvinte ativo, você precisa aprender a arte de ouvir como estou tentando fazer. E se você for uma pessoa como eu, que gosta de estar ativa e fazer coisas, pode ser um desafio e tanto. Esteja preparado para o fato de que isso exige disciplina e tempo e provavelmente não acontecerá durante os intervalos comerciais ou enquanto monitora as atualizações de seus amigos nas redes sociais.

Agora, não me entenda mal. Sou tão fascinada por avanços tecnológicos como qualquer outra pessoa. Estou digitando neste momento em meu computador Apple enquanto verifico uma mensagem que chegou em meu iPhone. Sou a primeira a admitir que sou grata por essas invenções e fico tão impressionada com elas quanto todos nós, em geral, ficamos. Não há nada de errado com nenhuma delas, desde que não estejam no controle de nossa vida.

Mas cada "melhoria" pode fazer com que desçamos mais no abismo das ocupações, abafando a voz de Deus até que se torne um eco distante. Nossas orações se tornam sem sentido e apressadas, dispersas e incoerentes. Apenas blá-blá-blá. Apenas sobre mim. Tudo em meu tempo e agenda.

Não é bem assim que o processo de ouvir acontece. Ouvir de fato na oração requer sintonizar-se em uma frequência completamente diferente. É preciso controlar os impulsos do corpo de ficar em pé e se movimentar. É preciso se esforçar para que a mente não divague, para que pensamentos aleatórios não ditem aquilo em que você prefere se concentrar. É preciso evitar que seus olhos percorram o cômodo e reparem em coisas que precisam ser resolvidas — coisas das quais gostaria de se ocupar neste exato momento enquanto está pensando nelas!

Ouvir pode ser um verdadeiro esforço quando você de fato tenta fazê-lo. Mas, ah, uma vez que começar a ouvir a voz de Deus, você ficará ansioso por fazer isso repetidas vezes.

Embora eu ainda esteja crescendo e lutando contra minha tendência de estar sempre ocupada, agora anseio por todas as oportunidades de ficar sozinha com Deus, com a Bíblia aberta, caneta à mão, pronta para me concentrar. Quando você sabe que ele falará, ouvi-lo deixa de ser uma tarefa e se torna um prazer delicioso. Empolgante. Emocionante. Ouvir a voz do Todo-poderoso tem feito minha experiência cristã monótona passar de uma disciplina para uma paixão. Já não estudo a Bíblia apenas como uma ferramenta instrutiva e teológica (embora ela certamente o seja), mas também como a carta de amor de Deus para mim. Ansiosa, examino suas páginas enquanto estou sentada em silêncio diante dele e ouço sua voz. É verdade que não ouço uma resposta clara e direta para minhas perguntas mais urgentes toda vez que fico em silêncio diante dele. Há muitas vezes em que saio apenas com a consciência da proximidade de Deus e de seu cuidado. Mas isso por si só muitas vezes é a resposta de que eu nem mesmo sabia que precisava.

De modo nenhum estou sugerindo que seja impossível ouvir Deus falar em meio ao ritmo normal da vida diária. Pelo contrário, nós podemos ouvir, e ele fala. Podemos ouvir enquanto fazemos exercícios, lavamos louça, estamos parados no trânsito, tomamos banho e realizamos todo tipo de tarefas seculares. Podemos estar cientes de que suas mãos estão se movendo nas coisas naturais, tornando-as sobrenaturais. Mas, a menos que nos disciplinemos intencionalmente a ficar quietos e ouvir, a menos que nos familiarizemos com sua voz e suas manifestações em nossos momentos privados e íntimos com ele, nunca o ouviremos consistentemente em lugar algum. Perderemos a maior parte do que ele está dizendo.

> Fecho os olhos para afastar estímulos visuais. [...] Fecho os ouvidos, lidando de forma inquestionável com distrações que ameacem minha capacidade de sintonizar Deus. [...] Fecho uma série de persianas no nível superficial de minha vida, afastando assim os obstáculos que me impedem de ouvir a voz suave e tranquila de Deus, e aciono um gatilho que dá permissão para que partes mais profundas, íntimas e ocultas de mim mesma ganhem vida.
>
> Joyce Huggett

Ouvindo na oração

Álgebra no ensino superior foi a pior matéria que já tive. Não apenas porque Deus não conectou os fios da matemática em meu cérebro, mas também porque meu professor era péssimo.

Era meu primeiro ano na universidade, e me matriculei nessa disciplina do currículo básico logo de início. Queria me livrar dela o quanto antes. Não posso falar muito sobre meu professor — como ele era ou qual era seu nome — porque, honestamente, eu, na verdade, não o via tanto assim. Ele estava sempre na frente da turma, dando aula, mas nunca com entusiasmo ou vontade. Na verdade, toda segunda, quarta e sexta-feira, às 13h30, ele assumia sua posição diante dos trezentos alunos que enchiam o auditório. De costas para nós, ele encarava o quadro-negro e começava a ensinar. Durante uma hora inteira, ele falava voltado para o quadro-negro enquanto ficava de frente para o que quer que estivesse escrevendo. Não conseguíamos ver nada. Mal conseguíamos entender o que ele dizia.

É evidente que a concentração da maioria dos alunos diminuía muito rapidamente durante cada aula. Alguns de nós tentavam ficar atentos, mas achávamos muito mais interessante prestar atenção uns nos outros. E embora de vez em quando pudéssemos repetir a qualquer momento o que o professor dizia, não estávamos de fato concentrados na aula. É claro que podíamos ouvir sua voz, mas não estávamos *de fato* dando ouvidos.

Isso se chama atenção passiva. O tipo acidental, não intencional. Certamente você já esteve em uma conversa com outra pessoa e, embora estivesse olhando para o rosto dela, embora estivesse ouvindo cada sílaba que os lábios dela estavam formando, você não estava de fato ouvindo. Era apenas um monte de palavras que provavelmente teriam algum significado se você estivesse prestando atenção, mas você nem estava de fato tentando assimilar o que ela estava dizendo.

Somos nós. Na maior parte do tempo.

Ouvintes passivos.

Mas o ouvir que Deus requer é ativo, intencional e assertivo. "Se, contudo, observarem atentamente a lei perfeita que os liberta, perseverarem nela e a puserem em prática sem esquecer o que ouviram, serão felizes no que fizerem" (Tg 1.25).

Por isso, os momentos sem pressa com Deus são essenciais para ouvir sua voz e discernir sua vontade. Não há uma fórmula para isso, não há etapas absolutas e infalíveis para seguir, não há itens de uma lista para riscar. Seu relacionamento com o Senhor é tão pessoal quanto você, e ele pretende lidar com você como um indivíduo.

No entanto, descobri que três atividades específicas se destacam entre aqueles cristãos que se envolvem na comunhão sincera com

Deus, permitindo que recebam constante direção dele. Se tentar inserir esses elementos em seu tempo com Deus — da maneira como ele o conduzir a abordá-los —, você criará uma atmosfera mais propícia para ouvir, um laboratório para aprender a reconhecer a voz de Deus e responder em obediência: *adoração*, *escuta em oração* e *meditação*.

Adoração

Sempre que Deus estiver falando — em qualquer lugar onde esperamos ouvir sua voz —, a adoração não pode ser algo distante. Ela estende o tapete vermelho para que a presença de Deus invada um espaço. Eu pensava que *adoração* fosse apenas uma palavra aplicada ao ajuntamento coletivo do povo de Deus, mas comecei a aprender com mentores que a adoração na companhia de outros é um transbordamento de nossa experiência pessoal. Eles me ensinaram a escolher o gênero de música de adoração que exaltava a Deus e me levava a exaltá-lo também, e deixar que a música enchesse o ambiente como um prelúdio para meu tempo com Deus. Então, encontrar-me com ele ao som de músicas de louvor ao fundo, permitir que as letras me levassem a adorá-lo — de maneira diferente da que eu o havia adorado no dia anterior e de como eu iria adorá-lo no dia seguinte — tornou-se um hábito para mim.

À medida que as músicas enfatizam um atributo do caráter de Deus, concentro-me no modo como o vejo revelado em minha vida e rendo louvor a ele por isso. O objetivo não é apenas cantar (embora isso seja uma bela oferta que agrada ao Senhor). O propósito é ser atraído para a comunhão com ele por meio da música.

Constatei isso uma vez em um culto na igreja. Após cada música durante o momento de louvor no início do culto, o ministrante, os cantores e os músicos simplesmente paravam e ficavam alguns minutos em oração em silêncio. Nesse interlúdio, os membros da congregação tinham tempo para de fato "ouvir" o que haviam acabado de cantar e reagir de forma pessoal à maneira como o Senhor poderia querer usar esse tempo para atraí-los para si e inspirá-los a lhe oferecer louvor. Foi uma bela e maravilhosa demonstração de como cada pessoa poderia fazer o mesmo individualmente.

Durante essa parte de meu momento pessoal de silêncio, mesmo que apenas por alguns minutos, muitas vezes me sinto conduzida a ficar de joelhos, ou talvez me prostrar no chão em uma posição de absoluta entrega e humildade diante de Deus. Enquanto a música toca, a consciência de sua presença me fascina e me encoraja. Não estou fazendo muita coisa, apenas absorvendo sua presença que está se infiltrando no espaço que criei para ele e o convidei a invadir. Estou esperando enquanto estou adorando. Confesso minha total dependência de sua graça e fortalecimento. Reconheço quem ele é: o único digno de minha confiança, o único em quem posso sempre confiar para falar a verdade em minha vida.

Agora estou dando ouvidos.

Ouvindo de fato.

Ouvir em oração

Meu tempo de oração era uma conversa unilateral — só eu falava o tempo todo. Era como se cada palavra batesse no teto e voltasse. Eu não me sentia mais próxima de Deus, e certamente não sentia que havia ocorrido uma conversa entre nós.

Foi quando me dei conta dos comentários do apóstolo Paulo sobre sua vida de oração, e a mensagem pareceu saltar da página e ir ao encontro de meu coração faminto. Ele escreve sobre orar com a mente e também com o espírito (1Co 14.15). E, embora seus comentários estivessem diretamente relacionados à manifestação dos dons espirituais na igreja de Corinto, há algo muito instrutivo para nós em sua declaração. Ela aponta para duas dimensões que devem envolver nossa vida de oração. Minhas próprias orações eram muito limitadas à parte mental — o elemento "mente" da equação de Paulo —, a qual agora tenho certeza de que me impedia de experimentar a plenitude do que deveria ser a oração. Eu sempre tinha minha lista de pedidos, confissões, preocupações, agradecimentos e comentários que apresentava ao

Senhor. Mas, uma vez que não havia mais nada em minha mente, meu tempo de oração acabava. O próprio exemplo de Paulo me encorajou a envolver mais o Espírito de Deus em mim durante a oração.

Assim, já não busco negligenciar esse elemento em minha vida de oração, e isso começou a fazer toda a diferença. Uma vez que apresento as questões que já antecipei à atenção de Deus, em vez de encerrar as coisas ali — como se tivesse lhe entregado diligentemente meu relatório e pudesse agora continuar com minhas atividades como de costume —, não encerro aí. Resisto à vontade de me levantar só porque "terminei". É claro que *eu* poderia ter terminado, mas... e se Deus não terminou? *Tive* uma oportunidade de falar — de compartilhar com ele o que está em minha mente. Por que não, ao menos, dar-lhe a mesma cortesia? Então, paro de deixar que aquilo de que minha mente está ciente controle o tempo de oração. Oro com meu "espírito".

Em vez de dizer a Deus coisas que já sei, convido-o a me contar coisas que somente *ele* sabe, coisas que ele deseja compartilhar comigo por meio de seu Espírito. Permito que o Espírito Santo traga à mente pessoas e situações nas quais eu normalmente não pensaria. Em seguida, oro por elas e pergunto como eu poderia ser útil ao ministrar a essas pessoas pessoalmente, já que é muito provável que seja por isso que ele está me falando sobre elas em primeiro lugar.

Peço a ele que me examine e conheça meu coração (Sl 139.23), e, quando sou convencida de um pecado que nem tinha me dado conta de que estava cometendo (o que acontece muitas vezes), eu o confesso em oração, buscando perdão e mergulhando-o profundamente na graça de Deus.

Talvez ele traga à minha mente um trecho específico das Escrituras, então viro as páginas de minha Bíblia e começo a meditar em seus princípios, acreditando que o Espírito me conduziu até ali por alguma razão.

Quem sabe o que ele poderia me dizer a seguir se eu tão somente ouvir? Ele poderia até me dar um indicador importante de sua vontade em relação a um assunto específico que mencionei a ele quando me sentei. "Ninguém conhece os pensamentos de Deus, senão o Espírito de Deus" (1Co 2.11). E se um dia eu tiver de saber quais são os pensamentos de

Deus, eles não virão de mim mesma, de minhas próprias palavras. Virão apenas de ouvir. Ouvir na oração. Essa é a vez de Deus falar, e com muita frequência — quando tem a oportunidade — ele faz exatamente isso.

Meditação

Toda vez que toco no assunto da meditação, inevitavelmente ouço comentários de pessoas que pensam que estou me bandeando para algum tipo de misticismo sinistro, como se eu estivesse ficando um pouco estranha demais para elas. E embora, é claro, eu conheça os métodos do tipo zen usados por muitos em nossa cultura para alcançar um estado de ser mais relaxado e iluminado, não estou disposta a deixar que algum ritual pagão roube um artigo de meu arsenal espiritual simplesmente porque pode ser mal utilizado.

A questão fundamental é a seguinte: as Escrituras incentivam os cristãos a meditarem em Deus e em sua Palavra. Não incentivam a esvaziarmos a mente com o propósito de nos concentrarmos no "nada", como busca a meditação pagã, mas sim a enchermos a mente com pensamentos intencionais sobre Deus e sua Palavra (Js 1.8; Sl 1.2; 119.15,97).

A meditação é a disciplina da reflexão. É o que cada um de nós que já nos apaixonamos fez. Nós nos sentamos e ficamos pensando naquela pessoa — repassando cada expressão facial, cada palavra que ela nos disse, cada coisinha que valorizamos nela. Isso, em sua forma mais simples e santificada, é o que Deus deseja. Ele deve ser o alvo maior de nosso amor, em quem devemos nos concentrar quando meditamos (no sentido cristão da palavra). É desses momentos de meditação que recebemos clareza à medida que a Palavra de Deus se torna viva e pessoal por meio da iluminação do Espírito.

Quando passei a levar mais a sério essa diretriz bíblica, descobri que não preciso esperar até domingo para encontrá-lo de várias maneiras profundas e significativas. Alguns de meus momentos mais preciosos com ele — aqueles que acabam em meu diário para ficarem guardados com segurança — acontecem em meu lugar secreto, sentada em silêncio, sozinha, em sua presença, às vezes só com um versículo das Escrituras, talvez apenas uma palavra ou expressão, sendo compartilhado entre seu Espírito e o meu.

Aos poucos, vou intencionalmente deixando que suas palavras me envolvam. Quando leio as Escrituras, coloco meu próprio nome ou um pronome pessoal no versículo, deixando que ele fale diretamente comigo. Se estou lendo e meditando sobre uma história ou episódio bíblico específico, eu me imagino na cena. Por exemplo, se estou lendo a história da mulher pega em uma escandalosa rede de adultério pelos fariseus julgadores e ardilosos (Jo 8.1-11), coloco-me em seu lugar: humilhada, envergonhada, culpada, mas depois com a oferta da graça feita por Jesus diante de todos os meus acusadores. Tornar-me parte da história dessa maneira me leva a "experimentar" a passagem em vez de apenas ler sobre ela. Então, muitas vezes, acontece que um versículo se abre para mim. O Espírito abrirá meus olhos para que eu realmente veja a verdade e a aplicação da passagem nos acontecimentos atuais de minha vida. É um momento emocionante. Doce. Poderoso. Íntimo. Individual. E... vale a pena esperar por ele.

Na essência, a meditação tem a ver com conhecer a Deus, porque a disciplina de discernir sua voz, na verdade, se resume a um princípio muito simples, mas comovente: quanto mais você *conhece* a Deus, mais claramente pode *ouvi*-lo. Enquanto medito em uma passagem, eu me pergunto:

- O que este versículo revela sobre Deus?
- Que princípio espiritual ele ensina?
- Estou vivendo de maneira contrária à sua verdade?
- Como ele se relaciona com minhas circunstâncias atuais?
- Como devo responder ao que estou considerando?

Forçando-me a não preencher o silêncio com atividades, ouço sua voz para que me dirija. Lido de maneira inquestionável com distrações, fazendo uma lista dos pensamentos, tarefas ou problemas dispersos que continuam a surgir para que eu tenha a sensação de que lidei com eles e possa voltar ao que realmente importa. À medida que o Espírito traz pensamentos, respostas, convicções, preocupações ou soluções à minha mente, eu os registro em meu diário. Considero a bondade de Deus para comigo, ou simplesmente a bondade do próprio Deus. Ele me fala de várias maneiras que eu nunca estaria disposta a considerar — maneiras que eu talvez nunca experimentasse se me encontrasse com ele apenas de passagem entre compromissos e o estudo ocasional da Bíblia. Para ouvi-lo, devo prestar atenção. Pensar. Concentrar-me nele. Meditar.

> Primeiro, somos "eu e ele". Chego para orar ciente de mim mesma, de minhas necessidades, de meus desejos. Apresento essas coisas diante de Deus. Segundo, a oração se torna "ele e eu". Aos poucos, eu me torno mais ciente da presença de Deus do que de mim mesmo. Então é apenas "ele". A presença de Deus me detém, me cativa, me aquece, age em mim.
>
> STEPHEN VERNEY

A voz do Pastor

Ao compartilhar os detalhes de meu tempo de oração habitual, não espero que você copie meu modelo. Meu único objetivo ao descrever como Deus fala comigo em particular é motivá-lo a desejar ter um tempo pessoal com ele. Ah, e mais uma coisa: ter certeza de que você saiba que nunca há motivo algum para perder a esperança de ouvir a voz de Deus novamente. Se você acha que ele não está interessado em lhe dar direção sobre suas necessidades e perguntas específicas, tenha ânimo. Ele está esperando que você se aproxime para que possa se aproximar de você.

Para que possa falar com você.

Jesus, falando a seus discípulos em João 10.27, assegurou a eles — e a nós — esta promessa: "Minhas ovelhas ouvem a minha voz". Não existe *se*. Não existe *mas*. Não existem exceções. Não existem cláusulas de escape. Se você é filho de Deus — se você é uma de suas ovelhas —, a certeza de que Deus fala com você é tão certa quanto a cadeira em que você está sentado.

A relação entre ovelha e pastor é algo estranho para a maioria de nós, mas não para os ouvintes de Jesus. Eles sabiam muito bem que era hábito reunir muitos rebanhos de ovelhas para passar a noite em um redil comum. Pela manhã, cada pastor voltava, chamando suas ovelhas para irem com ele e saírem para pastar nos campos. As ovelhas no redil ouviam muitas outras vozes de pastores durante essas primeiras horas do dia, mas estavam treinadas apenas para responder à voz de *seu* pastor — seu *verdadeiro* pastor.

Quando ouviam aquela voz singular e inconfundível, não importava se eram ovelhas claras ou escuras. Jovens ou velhas. Gordas ou magras. De primeira linha ou mais simples. Tudo o que importava era que eram *suas* ovelhas. *Tudo o que importava era a quem pertenciam.*

Então, eu gostaria de lhe fazer algumas perguntas neste momento: A quem você pertence? Jesus Cristo é seu verdadeiro Pastor? Você o recebeu como seu Senhor e Salvador? Você pertence a ele?

Faço essas perguntas porque a Bíblia deixa claro que aqueles que não se ajoelharam diante de Jesus — aceitando seu sacrifício na cruz por nossos pecados e entregando-lhe a vida, recebendo, assim, o Espírito de Deus — não deveriam esperar ouvir a voz do único e verdadeiro Deus de maneira constante. Por maior que seja a atenção no mundo para ouvir, ela não pode sintonizar os ouvidos da carne para ouvir o sagrado. "Mas o homem natural não aceita as verdades do Espírito de Deus. Elas lhe parecem loucura, e ele não consegue entendê-las, pois apenas quem é espiritual consegue avaliar corretamente o que diz o Espírito" (1Co 2.14). Quem não confia em Cristo como Salvador está perdendo o ingrediente essencial e necessário para interagir e se comunicar com ele.

No entanto, se você depositou sua fé em Jesus Cristo, mas está desanimado neste momento porque está se esforçando para discernir a voz dele, não duvide de sua salvação. É exatamente isso que o inimigo quer que você faça: menosprezar a obra fiel de Deus e se contentar com limites em seu relacionamento com Cristo.

Lembre-se: aprender a ouvir a voz de Deus é um processo, uma experiência de aprendizagem, uma disciplina que envolve elementos ativos como oração, meditação, adoração e o *ouvir*. Assim como qualquer relacionamento se torna mais forte e íntimo à medida que você dedica mais tempo para conhecer uma pessoa, seu relacionamento com Deus — sua capacidade de discernir a voz dele e de identificá-la na multidão — se tornará mais vivo e mais desenvolvido à medida que você passar mais tempo com ele. Mesmo que você já seja cristão há muitos anos, mesmo que esteja tentando com todo o esforço humano esperar por ele e perseverar com paciência, renove-se para começar do zero. Se você começou a duvidar de que ele se importa o suficiente para se comunicar com você, se não vê como ele ainda poderia amá-lo depois de tudo o que você fez, se acha que fez uma bagunça tão grande a ponto de nenhuma palavra dele poder consertar ou reparar os danos, abra novamente seu coração para ele hoje. Sente-se com ele. Fique em silêncio diante dele. Não se desespere.

O texto de Mateus 6.6 promete que "seu Pai, que observa em segredo" — a oração, o ouvir e a busca —, "os recompensará" com sua presença, sua orientação e o som envolvente de sua voz. Isso é uma prioridade para ele, assim como deveria ser para nós. Então, arranje tempo para passar com ele. Ele está esperando para falar com você — com qualquer pessoa que realmente queira ouvi-lo, qualquer pessoa que clame por ele.

Qualquer pessoa que escute.

Desafios do capítulo

- Anote os problemas em sua vida neste momento para os quais você precisa discernir a vontade de Deus. Ao avançar na leitura, use sua lista como referência.
- Reduza o que você "fará" durante seu tempo devocional para deixar espaço para "estar" com Deus.
- Lide firmemente com distrações para poder se concentrar na tarefa de ouvir. Quando alguma coisa vier à mente, anote-a e depois deixe de lado.
- Deixe "margens para Deus" e aceite-as em todas as áreas de sua vida. Relaxe, em vez de tentar preencher todos os espaços com suas próprias ideias, decisões e ações.

2
Informações privilegiadas

*Vocês não entendem que são o templo de Deus
e que o Espírito de Deus habita em vocês?*

1Coríntios 3.16

Quando comecei a dar *workshops* sobre o tema de discernir a voz de Deus, muitas vezes começava me virando para o público, repleto de pessoas sentadas, ansiosas por ouvir e com caneta e papel nas mãos, e perguntava se tinham plena convicção de que estavam na sessão correta e se esse era de fato o assunto para o qual haviam se inscrito.

Isso acontecia porque participar dessa sessão da conferência acarretava algumas responsabilidades que as outras opções que elas poderiam ter feito talvez não tivessem. Eu sabia que o que estava prestes a compartilhar lhes permitiria começar a reconhecer os estímulos internos do Espírito de Deus. Isso significava que se tornariam responsáveis por obedecer a ele. Essa é a responsabilidade divina que acompanha o privilégio divino que temos.

Então, estou lhe dando o mesmo aviso neste exato momento, porque estou bem certa de que você concluirá este capítulo com a capacidade de começar a ouvir a voz de Deus. E isso significa que é melhor você estar preparado para fazer o que ele lhe disser.

Então, aqui vai...

Aviso oficial
Se você não está preparado para começar a responder em obediência à voz de Deus, não continue a leitura.

Pronto.

Você ainda está aí? Mesmo depois desse aviso?

Tudo bem. Vamos lá.

Uma das ilustrações mais claras que já tive em relação a ouvir a voz de Deus aconteceu certa vez quando eu estava em um avião, viajando de Dallas para Atlanta. Eu estava absorta na leitura de um livro envolvente, desfrutando de um voo tranquilo (que é sempre minha maneira preferida de viajar de avião), quando, de repente, foi como se o avião estivesse caindo.

Uma onda de pânico e de pura adrenalina percorreu a cabine. Alguns passageiros gritaram; outros caíram no chão. Vários compartimentos de bagagem se abriram, lançando bolsas e pastas para o corredor. Todos seguramos com firmeza, imaginando o pior e agarrando os braços dos assentos pelo que parecia uma eternidade.

Em seguida, de uma forma quase tão abrupta, o avião começou a se estabilizar. Em questão de segundos, a voz do piloto veio pelo sistema de intercomunicação, desculpando-se pelo susto e explicando o motivo de uma descida tão rápida e inesperada.

A torre de controle, relatou ele, havia transmitido uma mensagem para a cabine alertando sobre outra aeronave localizada em nossa rota de voo. Para evitar uma colisão, ele foi instruído a reduzir imediatamente a altitude. Do ponto de vista do piloto, a outra aeronave ainda não podia ser vista, mas a torre de controle tinha a visão completa da situação. Se o piloto tivesse agido apenas de acordo com o que sua perspectiva limitada revelava, em vez de obedecer à diretriz, nossa companhia aérea e número de voo teriam sido destaque em telejornais por todo o país.

Sua prontidão para ouvir o controlador de tráfego aéreo e confiar nas orientações que recebeu evitou o que poderia facilmente ter se tornado um grande desastre.

O Espírito Santo é para nós o que a torre de controle é para um piloto de avião. A capacidade que o Espírito tem de ver o que não podemos e, em seguida, comunicar informações com base em seu conhecimento nos dá insights que nunca poderíamos obter apenas por meio dos instrumentos a bordo. E, sim, às vezes o que ele nos pede nos coloca em um lugar desconfortável que, naquele momento, parece desnecessário de nosso ponto de vista, mas confiar nele e responder a ele é algo que sempre visa o melhor para nós.

Quando falamos em "ouvir" Deus falar conosco, como fizemos no capítulo anterior — discernir sua voz, conhecer sua vontade —, é o Espírito Santo que estamos ouvindo.

E felizmente, pela graça de Deus, ele está dentro de nós. Ele é o principal meio pelo qual ouviremos a voz de Deus.

Quando você recebeu Cristo como Salvador, o Espírito de Deus passou a habitar em seu íntimo, prova de que você começou a ter um relacionamento com seu Pai celestial. De acordo com as Escrituras, ele colocou sobre você, no momento em que você creu, "o selo do Espírito Santo que havia prometido" (Ef 1.13). Portanto, você recebeu dele a unção, "e ela *permanece* em [você]" (1Jo 2.27). E essa unção, o Espírito de Deus, lhe foi concedida na plenitude dele no momento em que você foi salvo. Não é uma *parte* do Espírito Santo, não é uma primeira parcela do Espírito Santo, não é uma amostra preliminar na expectativa de receber *mais* do Espírito Santo. "Deus, com seu poder divino, nos concede *tudo* de que necessitamos para uma vida de devoção" (2Pe 1.3). Deus não usa uma palavra como "tudo" sem de fato ter em mente o que está dizendo. Como filho de Deus, você tem o Espírito na plenitude, todo o poder, toda a sabedoria, todo o conselho e todo o encorajamento dele, à sua disposição, o tempo todo. Se você opta ou não por permitir que ele o encha, entregando-se à liderança dele em sua vida, isso já é uma história completamente diferente. Mas é imperativo que você sempre se lembre desse fato…

Ele está em você.

Isso significa que ouvi-lo é um exercício que consiste em ouvir no íntimo — não ser dirigido por estímulos externos que desviam sua atenção da direção de Deus.

Vamos falar sobre como isso funciona.

Todos os seres humanos, salvos ou não, são compostos por três partes: corpo, alma e espírito.

- *Seu corpo* é a parte material que existe em você — a parte que envelhece e se desgasta com o tempo —, mãos e pés, pele e ossos, os vários órgãos que transferem sangue e sinais nervosos e regulam todos os seus sistemas físicos.
- *Sua alma* consiste em sua mente, vontade e emoções; aqueles elementos que fazem de você um indivíduo único com uma personalidade distinta. Suas ambições, singularidade interior e tendências emocionais — cada uma dessas características que os outros podem reconhecer prontamente a seu respeito vem de sua alma. Emaranhada também nessa área de sua formação está sua consciência. É ela que regula moralmente a alma e é inerente a todo ser humano. É o que lhe dá um senso do que é correto e errado e comunica informações que influenciam seus pensamentos, desejos e sentimentos sobre certas decisões e coisas/atividades a serem evitadas.
- *Seu espírito* é a verdadeira essência do que você é. Mais do que apenas sua identidade ou personalidade visível, seu espírito é a parte de você que anseia por conexão com um ser espiritual superior. Essa fome de Deus e de grandeza que é inata em cada pessoa — o espírito humano — é o que nos diferencia de todos os outros componentes da criação de Deus. "Sabemos que não há satisfação real, não há descanso real, exceto no próprio Cristo. Deus nos criou com um vazio com sua forma, e nada jamais preencherá esse vazio exceto Deus", disse Elisabeth Elliot, e muitos outros expressaram o mesmo sentimento.

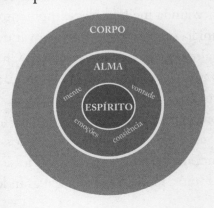

Muito bem. Você ainda está comigo? Corpo, alma e espírito. Todos começam com esses três. Mas, antes da salvação, esses três componentes definham em um estado não regenerado. Obstinados. Resistentes. Separados de Deus. Mortos ou agonizantes. No momento em que convidamos Cristo a entrar, no entanto, estamos "em Cristo" e nos tornamos "nova criação" (2Co 5.17). Nosso espírito já não está separado de Deus, mas nasce de novo, é recriado, regenerado. Agora podemos nos conectar com ele e ouvir sua voz — algo que jamais poderíamos esperar fazer antes.

Nós nos tornamos completamente transformados, agora e para sempre.

Nunca deixo de me impressionar com essa verdade!

Mas espere, fica ainda melhor. Nesse momento, o Espírito Santo imediatamente inicia o processo de nos renovar de dentro para fora. Primeiro, nossa alma e, por fim, nosso corpo. Chamamos esse processo de *santificação*. A partir de sua nova posição dentro de nosso espírito transformado, o Espírito Santo, que habita em nós, começa a reformar e reprogramar tudo a nosso respeito até que nossas atitudes, emoções, ambições e, por fim, toda a nossa personalidade e nossas ações começam a parecer e soar como as de um santo remido de Deus. O que somos. Para a glória de seu grande nome.

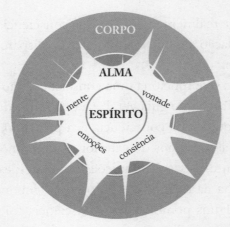

Então, por que essa lição de anatomia? Porque entender essa incrível mudança interna de eventos em sua vida muda tudo com relação ao modo como você ouve a voz de Deus.

> Por isso aqueles que ainda estão sob o domínio de sua natureza humana não podem agradar a Deus. Vocês, porém, não são controlados pela natureza humana, mas pelo Espírito.
>
> ROMANOS 8.8-9

Com a consciência limpa

Minha amiga Rebecca foi criada por uma mãe solteira, que, por sua vez, havia sido criada por uma mãe solteira. Na verdade, até onde ela conseguia perceber em sua família, era normal o ciclo de divórcios por motivos triviais e depois recasamentos para frustrar a solidão. A experiência e a observação ensinaram-lhe que esse comportamento era aceitável. Ela o havia testemunhado de perto nas pessoas que amava, pessoas que exerciam autoridade e influência em sua vida.

Então, quando Rebecca se casou e passou por períodos na vida nos quais ela e o marido não estavam se entendendo — como todos os casados experimentam de vez em quando —, não foi preciso muito para que sua mente começasse a considerar o fim desse relacionamento. De fato, não hesitou em considerar um "divórcio às pressas", se fosse isso que realmente quisesses. Sua consciência não ficou muito pesada com relação a isso. Nenhum alarme disparou. Nenhum sinal grave de perigo.

Veja, é assim que funciona uma consciência não convertida. Embora possa ser útil como guia geral, ela está longe de ser invulnerável e infalível, porque nossa consciência é, a princípio, moldada apenas por coisas que absorvemos do exterior — como nossas experiências de vida, ambientes pessoais, tradições familiares, exposições diretas. Portanto, é falha na melhor das hipóteses. Embora certamente útil e precisa em alguns pontos, nossa consciência foi cauterizada pelo pecado, moldada por diversas fontes e se fez suscetível à corrupção por causa de outros.

Ela *não* é a voz de Deus.

Mas é como uma voz, certo? Quero dizer, aquelas vezes em que você se sente surpreendido por sua consciência — talvez ao pensar em levar para casa um punhado de canetas do escritório, ao supervalorizar suas doações dedutíveis de impostos ou ao mentir para alguém sobre o motivo pelo qual não pôde encontrá-lo para jantar na quinta-feira —, você ouviu algo. Foi sua própria voz interior, sua consciência, e tinha um som. Você não ouviu uma instrução audível em seus ouvidos físicos, ecoando dos céus, mas não havia dúvida de que algo estava falando com você. Quando, "por alguma razão", você sentiu que era "certo" ou "errado" sair com aquelas pessoas ou aceitar aquela oportunidade, por exemplo, havia "algo" em seu instinto que o estava impelindo de uma forma ou de outra. Esse *algo* é sua consciência — guiando, direcionando e impelindo em direção a uma decisão específica.

Pare agora e pense nisso. Lembre-se da última vez que sua consciência guiou você em uma direção específica, acendeu um sinal de alerta diante de seus olhos ou o alertou para um dilema moral. Quer tenha seguido o conselho dela quer não, você ainda estava ciente de um aviso interno em sua alma a respeito de algo que estava enfrentando, confrontando ou decidindo. Você sabe como é sentir isso. Você sabe como "é" isso.

Lembre-se disso.

Quando o Espírito Santo passa a habitar em você, ele não elimina sua consciência; ele a desperta. Não é mais apenas sua própria voz emergindo de dentro de você. Assim como o restante de sua alma, sua consciência está sendo ativamente transformada pelo Espírito Santo e se torna o mecanismo que ele utiliza para retransmitir a direção de Deus à medida que o conduz em decisões que refletem as perspectivas de Deus. À medida que você for diligente no sentido de permitir que a Palavra de Deus e o Espírito dele reprogramem sua consciência, ela começará a funcionar com dados confiáveis, respondendo, assim, de maneira diferente — mais precisa — acerca das decisões que você está tomando na vida. Assim como um palestrante que sobe ao palco em uma conferência e encontra um microfone já ligado, o Espírito agarra nossa consciência e começa a usá-la para seus propósitos. Portanto, o eco que você percebe em seu íntimo já não é apenas um conjunto de ensinamentos de sua própria experiência. Aos poucos, está se tornando um mecanismo por meio do qual você ouve a verdade real vinda do coração de Deus e o testemunho da Palavra de Deus. Confiável. Constante. Eterno.

Por isso, a *sensação* que você tem quando Deus fala com você muitas vezes se assemelha àquele "saber" instintivo que você teve quando tudo o que tinha como referência era uma consciência não redimida. A diferença agora, no entanto, é que sua consciência está sendo iluminada não apenas por suas *próprias* visões, mas pelas visões *de Deus* acerca "do pecado, da justiça e do juízo" (Jo 16.8) à medida que o Espírito realiza a obra de santificação em você, e você coopera, lançando-se nas Escrituras e conformando sua vida ao que ele ensina.

Agora você tem um Guia diferente do que meras boas intenções. Rebecca, por exemplo, pode ouvir certos membros de sua família lhe dizendo — influenciando a "voz" dentro dela — para desistir desse casamento. A vida é muito curta. Por que ficar sofrendo assim? Saia e salve o que resta de sua vida com alguém que irá tratá-la como você merece ser tratada. No começo, esse tipo de lógica não a convencia. Mas, uma vez que entregou seu coração ao Senhor e começou a renovar sua mente com a Palavra de Deus, a consciência de Rebecca já não é a mesma que ela levou para o casamento. Foi transformada, assim como *Rebecca*. Então, em vez de sua consciência lhe dizendo exclusivamente para sair se ela souber o que é melhor para sua vida, ela sente uma hesitação. Hesita cada vez mais, na verdade, à medida que se submete à autoridade e senhorio de Deus e ouve a verdade da Palavra de Deus, convencendo-a por meio de sua consciência, assegurando-lhe o que ela deve fazer.

Assegurando-lhe no íntimo.

Como disse o apóstolo Paulo a partir de sua experiência pessoal, o Espírito Santo trabalha em conjunto com nossa consciência.

- Romanos 9.1 — Ao escrever aos romanos sobre sua angústia por causa da rejeição dos judeus ao evangelho, ele disse: "Minha consciência e o Espírito Santo a confirmam".
- Atos 23.1 — Ao comparecer ao julgamento diante do sumo sacerdote e do Sinédrio para defender sua pregação, ele declarou: "Irmãos, tenho vivido diante de Deus com a consciência limpa".
- 2Timóteo 1.3 — Ao começar a encorajar o jovem Timóteo no ministério, ele descreveu que seu próprio ministério estava sendo realizado com a "consciência limpa".

Por mais que as opiniões de Paulo fossem diferentes das de todos os outros, por mais que as massas desprezassem sua pregação, por maior que fosse o sofrimento que seu ministério atraísse, ele ainda poderia saber que estava fazendo o que era certo porque havia *concordância* entre sua consciência e o Espírito Santo. Havia a confirmação do Espírito em seu íntimo — por meio de sua consciência — de que a direção que ele estava escolhendo estava de acordo com a vontade de Deus.

E o mesmo acontece conosco. Ao longo do tempo, cada vez mais, à medida que avançamos nesse processo muitas vezes imprevisível de santificação, a voz que ouviremos ecoando em nossa consciência enquanto passamos pelas armadilhas da vida refletirá e confirmará mais claramente as diretrizes do Espírito Santo e se tornará um administrador fiel da vontade de Deus para nós. Isso só será perfeito, sem dúvida, depois que o virmos face a face, uma vez que vivemos em um mundo caído que apresenta interferência em nossa conexão com Deus, mas continuará em sua transformação até aquele momento.

Ele lhe dará, por exemplo, um sinal vermelho de convicção, pedindo que você pare. Ou um sinal amarelo de cautela, instruindo-o a se conter e esperar um pouco. Ou um sinal verde de paz e permissão, encorajando-o a seguir em frente. Quando ele fizer isso, *comemore*! É uma prova viva de que o Espírito Santo está em você, operando, guiando, transformando sua consciência de dentro para fora. Mesmo que a direção do Espírito pareça momentaneamente desconfortável, lembre-se de que ele vê a situação como um todo. Ele é a torre de controle. Ele o está protegendo do desastre provocado por suas inclinações não esclarecidas. Ele o está conduzindo com segurança à vontade de Deus e pensa no melhor para você.

Muitas vezes tomei decisões contrárias à direção que sentia em meu íntimo porque eu sabia — *eu sabia!* — o que era melhor para mim. Mas toda vez que fiz isso, vi tudo ir pelos ares no final. Fosse usando uma determinada roupa que levava "algo dentro de mim" a se sentir desconfortável ou participando de uma atividade na qual "eu simplesmente sabia" que não deveria me envolver, aprendi da maneira mais difícil que a sábia direção de Deus está aí por uma razão. Para ajudar-me a glorificá-lo. Para impedir que eu me veja, por fim, na mesma situação terrível de arrependimento e derrota.

Ele fala comigo lá no íntimo.

Por seu Espírito e confirmando por meio da consciência.

> Acredito que Deus, de algum modo, estabeleceu uma relação destes elementos: a voz da convicção na consciência e o Espírito Santo, o ponto de contato, testemunhando dentro do ser humano. É sempre perigoso resistir à consciência interior.
>
> A. W. Tozer

Entendido

Então, como realmente fazemos isso? Como podemos saber se o que estamos sentindo no íntimo é de fato a voz de Deus? Uma vez que nossa consciência permanece no processo gradual de transformação, nosso coração ainda carrega a mancha do pecado e nossas opiniões ainda são influenciadas por uma cultura mundana, como desenvolvemos a capacidade de ouvi-lo com um grau seguro de confiança?

A obra de Deus em dar vida a nosso espírito por meio da salvação e, em seguida, despertar nossa consciência por meio da santificação dá evidências de que ele *deseja* que o conheçamos e saibamos qual é a coisa certa a ser feita. E uma vez que ele está plenamente ciente de que você e eu nem sempre somos bons ouvintes, o padrão de Deus é dizer as coisas mais de uma vez, usando mais de um meio, para que, se estivermos genuinamente tentando ouvir e responder à sua direção, não deixemos de percebê-lo. Isso se aplica não apenas às decisões importantes que precisamos tomar, mas também aos detalhes da vida.

Minhas experiências em se tratando de ouvir a voz de Deus (nas quais ainda tenho muito a crescer) me levaram a observar os "cinco Ms" no processo de ouvir corretamente sua voz, ajudando-nos a ter mais certeza de que estamos discernindo com precisão a voz de nosso Espírito enquanto ele molda nossa consciência. Ao sentir que é possível que Deus o esteja guiando de alguma maneira, tenha estas cinco atitudes:

1. *Procure a MENSAGEM do Espírito.* Reserve intencionalmente tempo para ouvir e prestar atenção. Volte seus pensamentos para dentro de si enquanto busca a Deus com sinceridade. Leve em consideração a "intuição" que está tendo. Considere intencionalmente como sua consciência está respondendo à questão.
2. *Busque o MODELO das Escrituras como orientação.* Você faz isso de três maneiras. Primeiro, permaneça imerso na Palavra de Deus para que sua consciência se torne cada vez mais sensível aos padrões de Deus. Segundo, considere cuidadosamente se

o que você sente que está ouvindo contradiz, de algum modo, todo o conselho ou caráter de Deus conforme revelado na Bíblia. Se sim, então a mensagem não pode ser de Deus. Terceiro, mantenha os olhos abertos durante a leitura da Palavra de Deus para discernir o momento em que uma passagem das Escrituras chama sua atenção, falando de modo direto e apropriado, ainda que surpreendente, sobre uma circunstância específica em sua vida.
3. *Viva no MODO de oração.* Pegue o que você está ouvindo e direcione-o a Deus. Se você está apreensivo ou confuso por causa de um problema, não perca tempo nem energia se preocupando com ele. Apresente-o a Deus em oração e espere com paciência e com esperança pela resposta dele.
4. *Submeta-se ao MINISTÉRIO de Eli.* O texto de 1Samuel 3 relata a história de um jovem com quem Deus falou. Três vezes o Senhor o chamou, e enquanto Samuel ouvia alguém falando, ele não conseguia discernir claramente de quem era a voz. Somente a direção madura e paciente do sacerdote Eli ajudou Samuel a perceber que estava ouvindo a voz de Deus. Busque o conselho de um cristão maduro. Fale com alguém em cujo conselho sábio e bíblico você confia e veja se esses conselhos refletem o que você tem ouvido na Palavra e no testemunho que Deus lhe dá no íntimo.
5. *Espere pela MISERICÓRDIA da confirmação.* Procure o modo como Deus usa as circunstâncias, as Escrituras e outros cristãos para confirmar a direção de Deus para sua vida.

Esse último ponto é fundamental. Uma das melhores maneiras de discernir a direção interna do Espírito Santo é observar como ele continua a confirmar suas mensagens para você de maneiras que somente ele poderia articular, com padrões surpreendentes de consistência.

Recordo-me, por exemplo, de um momento em que senti o Espírito de Deus me convencendo a cortar algumas coisas específicas de minha vida para que pudesse me concentrar mais nitidamente em meu relacionamento com ele. Ou, pelo menos, *parecia* ser essa a convicção que senti. É claro que também poderia ser uma armadilha legalista na qual eu estava caindo, uma reação exagerada a um pensamento passageiro ou um pouco de hiperespiritualidade que certamente causaria impressão se eu a compartilhasse em um grupo. Quem sabe? Então, pedi a Deus aquele último "M" — a "misericórdia da confirmação".

Naquela mesma tarde, meu estudo pessoal da Bíblia foi em Deuteronômio 30.6, texto em que Moisés ensinava aos israelitas que eles deveriam deixar Deus lhes transformar o coração "para que o amem de todo o coração e de toda a alma". Interessante. Mais tarde, quando abri um livro que estava lendo, a seção programada para o dia tinha o título "Um coração transformado". Então, em um estudo bíblico do qual participei naquela semana, o assunto resvalou no tema de como Deus muitas vezes permite que ocorram abalos em nossa vida para que nos livremos de algumas coisas que nos impedem de ser completamente dele.

Hum.

O Espírito Santo estava buscando comunicar a mesma mensagem para mim, repetidas vezes, fazendo com que parecesse cada vez mais verdadeira dentro de meu coração, enquanto sua voz ecoava lá dentro e a confirmava do lado de fora. Fiquei atenta para ouvir.

Estou dizendo que Deus *deseja* que você conheça a vontade dele. E ele escolheu o Espírito Santo como o principal meio para falar com seu povo — falar onde você possa ouvi-lo enquanto é fiel em confessar seus pecados e manter sua consciência em constante harmonia com ele — à medida que você presta atenção ao ouvir lá dentro. Ouvir no íntimo. Ouvir logo cedo e com frequência o Espírito dentro de você.

É assim que se começa a ouvi-lo.

Portanto, meu amigo, agora é tarde demais para voltar atrás. Você foi avisado. Da próxima vez que estiver fazendo compras e vir um item que deseja muito, mas algo dentro de você disser "não" — é provável que seja Deus. Da próxima vez que estiver comendo demais e sentir algo a convencê-lo a parar, é provável que seja Deus.

Da próxima vez que estiver prestes a dizer algo que não deveria, e sua consciência se manifestar para dizer que é melhor você não dizer...
Não diga.
Você acabou de ouvir a voz de Deus.
Obedeça a ele.

Desafios do capítulo

- Reacostume-se com a sensação que você tem quando sua consciência o guia. Lembre-se da última vez que isso aconteceu e registre os sentimentos que você experimentou.
- Comprometa-se com o processo de reprogramar sua consciência sendo diligente no estudo da Palavra de Deus.
- Feche este livro e reserve um tempo já para pensar no que sua "intuição" está lhe dizendo para fazer em relação a uma decisão que você precisa tomar neste momento.
- Peça ao Senhor que lhe dê um amigo ou mentor sábio e temente a Deus a quem você possa consultar para receber conselhos quando estiver discernindo a direção de Deus.
- Ajuste seus sentidos espirituais para reconhecer as confirmações de Deus em suas circunstâncias.

3
O que você quer?

> Pois Deus está agindo em vocês, dando-lhes o desejo e o poder de realizarem aquilo que é do agrado dele.
>
> Filipenses 2.13

Jerry, meu marido, é uma pessoa da cidade. Quanto mais moderno, tecnológico e refinado o ambiente, melhor para ele.

Embora eu também aprecie as luzes e os sons da vida na cidade, cresci com muitas influências do campo. Meus irmãos e eu íamos para acampamentos quando éramos crianças e participávamos de muitas atividades ao ar livre, como andar a cavalo e pescar. Jerry, em compensação, nunca foi exposto a nada disso. A vida campestre não era nem um pouco interessante para ele. Cheguei a ver a primeira experiência que ele teve em cima de um cavalo, e, deixe-me dizer uma coisa, foi hilário vê-lo se contorcer naquele dorso com um semblante de incredulidade.

Quanto a mim, ver patos em um lago ou vacas pastando em um campo é relaxante, mas ele só gosta de vacas quando estão assadas (ao ponto, muito obrigado) e com uma enorme batata assada de acompanhamento.

Antes de termos filhos, morávamos em um apartamento na cidade, onde tínhamos todas as vistas e sons que se poderia esperar. Estávamos a dois minutos do centro da cidade e podíamos ir a pé a todos os restaurantes e lojas imagináveis. Foi uma época divertida. Mas quando as crianças chegaram, sabíamos que precisávamos ser mais responsáveis com nossas finanças, então investimos em uma casa. Mudamos para um bairro residencial, afastado do centro, e por nove anos aproveitamos nossa primeira casa.

Há dois anos, decidimos nos mudar novamente. E, veja só, encontramos uma casinha perfeita em um terreno que fez meu coração saltar de alegria. A estrada de mão dupla em que ela ficava era tranquila e agradável, e as árvores, riachos e vida selvagem me faziam sorrir. Eu sabia que esse era *nosso* lugar e que nossos três meninos agitados teriam ótimas lembranças de infância aqui.

Jerry, por sua vez, estava hesitante no início. Mas, depois de muita oração e bons conselhos vindos de conselheiros sábios, sentiu que Deus estava nos conduzindo a comprá-la. Embora concordasse que o terreno era uma beleza, viver nesse tipo de ambiente não era algo que ele naturalmente desejasse. Mesmo assim, decidiu seguir em frente em resposta ao que sentia ser o desejo *de Deus* para sua família.

Então, compramos a casa e nos mudamos alguns meses depois. E Jerry orou para que não apenas vivesse nessa nova casa, mas que realmente começasse a gostar dela.

Levou tempo, mas nos últimos dois anos meu rapaz da cidade desapareceu completamente. Agora é comum vê-lo na propriedade usando um chapéu de caubói para se proteger do sol enquanto se orgulha da configuração do terreno. Na verdade, seu coração se voltou tanto para essa casinha nesse pedacinho de terra, nessa estradinha de mão dupla, que quando a propriedade atrás de nosso terreno foi colocada à venda, ele a considerou como a melhor opção para os escritórios de nosso ministério Going Beyond. Agora, meu antigo rapaz da cidade vive e trabalha em dezoito acres, possui um cortador de grama e carrega uma espingarda. E... ele adora. Se pudesse, passaria o maior tempo possível aqui fora. Só ele e as vacas.

Ele foi transformado.

O que acontece quando você sente que Deus está conduzindo sua vida, mas não deseja fazer o que ele está pedindo? Ou quando você *de fato* deseja algo que ele está especificamente pedindo para você *não* fazer? E se você tem receio de buscar a vontade de Deus porque está preocupado com a ideia de que ele possa exigir a pior coisa possível que você pode imaginar? Como lidar com isso?

Bem, felizmente, quando Deus fala e o conduz na direção de sua vontade, ele não aparece apenas com instruções, um mapa e um empurrão naquela direção. Dê-lhe o tempo que ele sabe que levará, e ele irá além — ele literalmente mudará os desejos que você tem para se adequar a seus propósitos.

É essa a obra espetacular que ele realiza na vida de seu povo.

Quando a nova vida do Espírito Santo se estabelece em você e a influência dele começa a aumentar em sua vida, ele muda seu paladar. Coisas que antes eram importantes começam a desaparecer, e você começa a desejar coisas novas. Com paixão. Não porque, de repente, descobriu algo ou se forçou a ser diferente, mas porque Deus começou a fazer com que os desejos dele se tornem os seus.

Ouça atentamente a verdade de Filipenses 2.13: "Pois Deus está agindo em vocês, dando-lhes o desejo e o poder de realizarem aquilo que é do agrado dele". A obra de Deus em você é fazer com que deseje a vontade dele para sua vida — constranger sua mente, vontade e emoções a serem cada vez mais transformadas para se alinharem com as dele, dando-lhe então a energia para realizar os planos que ele traçou para você.

Já vimos isso acontecer mais de uma vez, tanto em nosso casamento quanto em nossa vida pessoal. Repetidas vezes, continuamos a descobrir que um dos maiores milagres de Deus é o que ele faz dentro de nosso coração, transformando nossa mente, vontade e emoções até que se alinhem com seus planos para nossa vida.

Mentes renovadas começam a ter os pensamentos de Deus. Vontades renovadas começam a desejar as ambições de Deus. Até mesmo emoções renovadas começam a sentir coisas que nunca esperavam sentir — não é que tudo acontece de uma vez, mas, aos poucos, ao longo do tempo, à medida que permitimos que seu Espírito altere nossas perspectivas e motivações. Ele está constantemente trabalhando em nós, santificando-nos, transformando nossa personalidade para se adequar ao seu plano para nós. E quanto mais nos rendermos a ele e formos conformados à imagem de Cristo, menor será a lacuna entre o que ele deseja e o que desejamos.

E fomos convocados a participar desse processo.

O livro de Tiago instrui-nos a "[aceitar] humildemente a palavra que [nos] foi implantada no coração, pois ela tem poder para [salvar-nos]" (1.21). Essa é uma das razões pelas quais me esforcei tanto para descrever nossa tríplice composição como espírito, alma e corpo. Nosso *espírito*, como você se lembra, foi totalmente regenerado na salvação, mas nossa *alma*, de acordo com as Escrituras, ainda precisa do toque contínuo do Espírito de Deus, ainda precisa de sua obra de santificação e de salvação.

E, quanto a isso, diferentemente da salvação, ele pede nossa cooperação.

Imergir-nos na Palavra, ouvir ativamente a voz do Espírito dentro de nós, observar sua atividade ao nosso redor e viver em obediência a suas diretrizes — essas são formas de participarmos da obra do Senhor em nós. Ele promete nos transformar de forma radical. E embora ocorra simplesmente como resultado de sua presença em nós, essa transformação se torna mais eficiente quando fazemos nossa parte em conjunto com sua obra. Esse é um dos aspectos mais incrivelmente sobrenaturais de nosso relacionamento com Deus: seu Espírito de fato nos torna diferentes. Uma vez que vive em nós — em nossa essência —, ele pode influenciar nossa alma para *desejar* verdadeiramente aquilo que é do agrado dele, para que não estejamos mais em rebelião contra ele nem lhe servindo por dever, mas por amor.

Com nossa mente, nossa vontade, nossas emoções.

Com todo o nosso ser.

E quanto mais você se empenhar nisso, mais rápida e efetivamente verá esses resultados tomando forma.

Então, quer você sinta quer não algo acontecendo em seu íntimo enquanto lida com uma decisão que ele o está conduzindo a tomar, asseguro que uma grande renovação está acontecendo. Mais do que se pode imaginar está acontecendo sob a superfície. E à medida que você continuar a passar tempo com ele — ouvindo, observando e obedecendo —, essas mudanças subterrâneas começarão a se manifestar por meio de sua alma e à luz do dia.

Então, relaxe. Espere. Ele está trabalhando em você neste momento para transformar sua essência, mesmo enquanto você está examinando o conteúdo desta página. E se de fato for a voz de Deus que você está ouvindo, ele fará com que você deseje o que ele diz. Não significa que você amará isso de imediato nem que apreciará totalmente cada aspecto, mas sim que descobrirá um contentamento sobrenatural com isso, desejando intimidade com ele mais do que a possibilidade de desobediência.

Elizabeth é uma ilustração viva disso. Quando a conheci, ela residia na mesma casa onde cuidava de jovens mulheres que precisavam se reerguer. Por várias razões, cada mulher havia chegado a essa casa de esperança e graça para se recuperar do passado e recomeçar a vida.

Enquanto me levava para fazer um tour pela casa, Elizabeth explicou o trabalho que se propuseram realizar, pontuando seus comentários com sentimentos que expressavam surpresa por se achar envolvida nesse maravilhoso trabalho. Ela sempre amou o ministério, mas havia encontrado sua vocação servindo a crianças na escola dominical. Esse foi seu primeiro amor e sempre foi seu principal objetivo no ministério. E embora estivesse disposta a fazer o que o Senhor lhe pedisse, esperava secretamente que o ministério com mulheres nunca estivesse na lista. Por uma razão ou outra, simplesmente não era o que desejava. Mas agora, uma década depois, seu coração havia se voltado para essas mulheres e esse ministério cujo objetivo era ajudar a solidificar o relacionamento dessas mulheres com Cristo e transformar a experiência prática delas. Ela nunca imaginou que passaria a gostar desse trabalho. Com o tempo, porém, de maneira constante e segura, ele se tornou o desejo de seu coração.

Um de meus versículos bíblicos favoritos expressa isso da melhor e mais sucinta maneira: "Busque no Senhor a sua alegria, e ele lhe dará os desejos de seu coração" (Sl 37.4). Isso não significa necessariamente que ele está lhe dando aquilo que *você* deseja, mas sim que ele está no processo de transformar sua alma para desejar o que *ele* deseja. Deus está, na verdade, lhe dando os próprios desejos dele, e quanto mais você se deleita nele, na Palavra dele e na vontade dele, mais pode esperar ver os desejos de Deus implantados em você. Não precisamos ter medo de qual poderá ser a vontade de Deus. Podemos simplesmente descansar nele, sabendo que ele falará claramente, guiará nossos passos e nos fará desejar o que é de seu agrado.

Isso simplesmente acontece. Enquanto você coopera com ele no processo.

> Não posso controlar a voz de Deus nem como ela se manifesta. Só posso controlar meus "ouvidos", isto é, minha prontidão para ouvir e rapidez para responder.
>
> Philip Yancey

Que mudança!

Nos tempos do Antigo Testamento, a Bíblia relata que Deus conduzia Israel "pela mão" (Hb 8.9), instruindo os israelitas com direções externas, libertados de fora para dentro. No entanto, como participantes de uma nova aliança, estamos sendo transformados agora de dentro para fora pelo Espírito de Deus. "E esta é a nova aliança que farei com o povo de Israel depois daqueles dias, diz o Senhor: Porei minhas leis em sua mente e as escreverei em seu coração" (v. 10).

Suas leis em nossa mente.

Sua palavra escrita em nosso coração.

Nunca me esquecerei de ter lido Salmos 46.10 durante um momento de devoção pessoal muitos anos atrás. Já havia lido esse versículo inúmeras vezes, mas Deus estava me confrontando com ele em um momento em que eu estava extremamente cansada em termos emocionais, gastando energia em uma busca específica que estava me desgastando, deixando-me esgotada e quase sem reservas.

Suas palavras familiares acolheram-me como se eu nunca as tivesse ouvido: "Pare de lutar e saiba que eu sou Deus". Um sentimento de paz e de serenidade começou a me inundar, banhando minha alma cansada em seu cuidado e suficiência. O Senhor estava tirando meu fardo, pedindo-me para relaxar e observar sua ação sobrenatural em minha situação. O Espírito Santo permitiu que eu visse algo com meus olhos espirituais que eu só havia visto antes com meus olhos físicos. De repente, compreendi o versículo. Ele se tornou relevante e pessoal para mim, e me conduziu a uma paz que eu não havia sentido antes naquela situação.

Ele estava escrevendo sua lei em minha mente.

Ele estava falando comigo. Transformando-me.

E essa não é a primeira vez que vejo uma mudança assim acontecer em minha vida.

Casar-me com Jerry foi a melhor coisa que já fiz (ou mais precisamente, a melhor coisa que Deus me concedeu fazer). Mas, quando nos conhecemos, devo dizer com honestidade que não fiquei tão interessada assim. Na verdade, minha primeira intenção foi tentar arrumar um encontro para ele com minha irmã! Embora o achasse atraente e apreciasse muito nossa amizade, meu coração estava envolvido com outra coisa, o que me impedia de estar completamente disponível em termos emocionais para um relacionamento sério.

No entanto, à medida que o tempo passava e nosso relacionamento se desenvolvia, comecei a sentir que o Espírito Santo estava me levando a considerar a ideia de me casar com ele. Essa direção foi clara e confirmada de diversas maneiras e por várias pessoas de Deus. Então, orei: "Senhor, se este for teu desejo para mim, faz com que meus sentimentos correspondam". Eu sabia que Deus não gostaria que eu seguisse em frente com a ideia do casamento sem um desejo profundamente enraizado em meu coração. Assim, observei e esperei, cuidando para permanecer aberta à vontade de Deus. E ao me submeter à autoridade de seu Espírito dentro de mim, *imediatamente* percebi uma mudança em meus sentimentos por Jerry. Em um curto espaço de tempo, passaram de uma sensação cada vez mais natural e acolhedora para uma emoção ardente, apaixonadamente íntima que me conquistou. O propósito de Deus para mim em me casar com esse homem logo se tornou minha paixão genuína e sincera. Jerry logo se tornou meu queridinho e meu verdadeiro e estimado desejo.

Deus estava escrevendo sua vontade e seus planos em meu coração. Fazendo com que eu desejasse o que ele desejava.

Ele pode fazer isso, eu lhe asseguro. Sei por experiência própria. Se nos entregarmos à obra que ele já está realizando em nós, ficaremos surpresos ao descobrir que naquilo em que antes resistíamos à sua direção por achá-la difícil, arriscada ou possivelmente embaraçosa, agora vemos que a desejamos — pelo menos mais do que desejamos a alternativa de seguir em frente sem ele. Descobriremos, para nossa surpresa, que nem mesmo desejamos o que desejávamos, que estamos de fato começando a desejar e ser atraídos àquilo que pensávamos que nunca desejaríamos.

E, uau, isso é bom.

É assim que uma mulher encontra contentamento quando um sonho foi protelado. É assim que um coração se volta para o campo missionário. É assim que um homem encontra o desejo de se estabelecer em seu papel de pai quando nunca pensou que desejaria essa responsabilidade.

O Espírito realiza a obra *por* você.

Então, tente não se sentir tão sobrecarregado e apreensivo, com receio de buscar a vontade de Deus para você e de se render a ela... seja qual for. "Tenho certeza de que aquele que começou a boa obra em vocês irá completá-la até o dia em que Cristo Jesus voltar" (Fp 1.6). E parte dessa obra está em sua própria alma — moldando-a, conformando-a e preparando-a para os planos de Deus.

Há muita liberdade nisso.

> Ele escreve suas leis em nosso coração e em nossa mente, e nós as amamos e somos atraídos, não motivados, por nossos afetos e discernimento à nossa obediência.
>
> — Hannah Whitall Smith

O corpo da obra

O Espírito não é apenas capaz de transformar nossa *alma*, fazendo-nos desejar seguir sua direção com nossa vontade pessoal. Ele também nos capacita para ver uma mudança em nosso corpo. Na verdade, este é seu objetivo: dar-nos o poder que não possuímos em nossos próprios recursos para que possamos experimentar uma vida vitoriosa — corpos sujeitos à direção de Deus.

Você já se viu pela segunda vez diante de alguma indulgência incrivelmente deliciosa e deleitável e foi como se simplesmente não pudesse evitar... mas sim se servir à vontade? Aposto que você consegue se imaginar facilmente nessa cena. Você já ingeriu mais comida do que provavelmente deveria, e sua mente e seu estômago ficaram enviando sinais claros para confirmar isso. Você estava completamente satisfeito, sem nenhum espaço para outra garfada, e você sabia disso.

Mas sua boca tinha outras ideias. Ela ainda desejava aquilo de que seu estômago estava dizendo que você não precisava.

Acredite em mim, eu sei o que estou dizendo.

Esse é um exemplo claro da disparidade entre o que a carne deseja e o que o Espírito deseja. A Bíblia diz que "essas duas forças se confrontam o tempo todo" (Gl 5.17), lutando para ver qual delas você declarará vitoriosa hoje. Enquanto o Espírito que habita em você está lhe dizendo para seguir por um caminho, sua carne está salivando diante da oportunidade de se voltar para uma direção oposta.

Como você vence uma batalha como essa — uma batalha que já travou e perdeu tantas vezes —, deixando de lado o que seu corpo pode desejar e escolhendo, em vez disso, o que o Senhor deseja para você?

Paulo tem a solução. Você adquire o hábito de apresentar diariamente seu corpo como "um sacrifício vivo e santo, do tipo que Deus considera agradável" (Rm 12.1), para que até mesmo sua indulgência favorita não tenha a última palavra. Se for colocada à sua frente em um momento em que você sabe que uma simples mordida seria o oposto daquilo que está ouvindo da voz interior do Espírito de Deus, você escolhe sua satisfação nele, não em outras porções.

Você deixa que ele vença.

E a vitória acaba por ser sua também.

Você dorme melhor, se sente melhor, porque tem mais discernimento.

E adivinhe? Não precisa ser tão difícil assim. Paulo simplesmente diz que você deve entregar seu corpo a Deus — fazer essa decisão básica e abrangente — e depois viver na "vitória" que já foi conquistada para você pelo Senhor Jesus Cristo (1Co 15.57).

Agora, não espere fazer isso com perfeição. Acontece aos poucos, e — como ambos sabemos — nenhum de nós se tornará um perfeito mestre nisso. Ainda lidamos com um corpo no *processo* de ser transformado, ainda muito infestado pelo pecado e os desejos carnais. Mesmo sendo cristãos experientes, pode haver uma lacuna perceptível entre o que *nós* desejamos e o que o *Espírito* deseja, provocando interferências quando estamos nos esforçando para ouvir sua voz, mesmo a uma distância tão próxima como a de dentro de nosso próprio espírito. Até mesmo Paulo enfrentou dificuldades, como nos diz em Romanos 7.14-15: "O problema

> *Dê a ele suas mãos para realizar a obra dele, seus pés para caminhar no caminho dele, suas costas e ombros para realizar o ministério dele.*

está em mim, pois sou humano, escravo do pecado. Não entendo a mim mesmo, pois *quero* fazer o que é certo, mas não o faço".

No entanto, se continuarmos a ouvir, a prestar atenção e responder com obediência, notaremos um milagre começando a acontecer. Nesse mesmo corpo que temos. Esse corpo já não estará no comando, obrigando-nos a pecar contra as diretrizes do Espírito que habita em nós.

Isso não acontece por causa do trabalho ao qual você se dedicou para se tornar tão autodisciplinado e infalível espiritualmente. *Essa é a obra de Deus*, respondendo de maneira sobrenatural à sua cooperação, transformando os desejos de seu corpo assim como ele transformou os de sua alma — diminuindo a influência e o domínio desse corpo em sua vida.

Enquanto isso, dê a ele suas mãos para realizar a obra dele, seus pés para caminhar no caminho dele, suas costas e ombros para realizar o ministério dele, seus genitais para desfrutar da pureza dele, seus ouvidos para ouvir a voz dele. Onde antes você permitiu que seu corpo participasse de todo tipo de atividades pecaminosas e rebeldes, agora "[entregue-se] inteiramente a Deus, pois [você estava morto] e agora [tem] nova vida. Portanto, [ofereça] seu corpo como instrumento para fazer o que é certo para a glória de Deus" (Rm 6.13).

E quanto mais fizer isso — quanto mais sensível você se tornar ao estímulo do Espírito, quanto mais vitórias ele lhe permitir alcançar sobre sua carne obstinada e exigente —, então mais fácil tudo isso se tornará, mais completo será o milagre, mais direta será a comunicação entre seu interior e seu exterior.

Mais você ouvirá a voz de Deus e desejará segui-la.

> Se tenho apresentado meu corpo a ele como um sacrifício vivo e estou sendo transformada pela renovação de minha mente, então sou capaz de provar — de pôr à prova — qual é sua vontade. Ele me mostrará o que é bom, aceitável e perfeito para mim.
>
> Kay Arthur

Imersos na Palavra

Quero ter certeza de que você está entendendo a importância de estar imerso na Palavra de Deus. Não existe apenas uma ligação essencial entre a transformação que estamos discutindo e a relação que você tem com a Bíblia, mas ouvir uma palavra pessoal e específica de Deus depende de seu compromisso com a Palavra escrita dele. É aí que começamos a ouvi-lo.

Se você leva a sério a questão de discernir a voz de Deus, então leve a sério a questão de meditar nas Escrituras. Não deixe que seu tempo de silêncio com ele — aqueles momentos de leitura bíblica, oração e meditação intencionais — se torne um clichê de puro dever e nenhuma devoção; esses momentos com ele são mais sérios do que pensamos. Quanto mais você mergulhar na Palavra, mais seus pensamentos, emoções e decisões se alinharão com o que o Espírito lhe está dizendo e mais sua carne perderá o poder e a força.

A obra realizada pela Palavra em você é como fazer radioterapia em células cancerígenas que invadiram um corpo. Você não consegue ver a mudança acontecendo, mas o trabalho que está acontecendo fora de vista é fundamental e vale cada sessão do tratamento. Quando você mergulha na Palavra de Deus, os raios de luz de Deus invadem seu corpo e sua alma, queimando aquelas coisas que não se assemelham a ele. O tempo investido nas Escrituras é vital. Você talvez não veja a obra que elas realizam no início, mas logo terá um atestado de saúde que comprovará que foi um tempo bem investido.

O dia todo, todos os dias, de todas as fontes concebíveis, sua mente e seu coração estão se enchendo de mensagens que contradizem a verdade de Deus — ideias que têm a capacidade de se infiltrar, embaralhando os sinais que você recebe de dentro, confundindo a clareza da voz do Espírito. Elas também estimulam a resistência da carne à vontade de Deus. Se você não combater conscientemente essas mentiras culturais ao encher sua mente das Escrituras, seu corpo e sua alma estarão inclinados a voltar à posição natural, conformando-se aos padrões do mundo em vez de se conformarem aos de Deus. Ao manter "o olhar firme em Jesus" (Hb 12.2), cooperamos com a obra do Espírito e tornamos esse processo de santificação muito mais suave.

Veja, sei como isto pode ser difícil: priorizar o tempo na Palavra de Deus. Converso com muitas mulheres que me procuram, às vezes aos prantos, profundamente desanimadas porque as demandas de sua fase de vida no momento tornam o tempo com a Palavra de Deus quase impossível. Entendo completamente. Com três meninos pequenos em casa, além das inúmeras demandas do ministério e outras coisas, o dia começa cedo aqui e não se presta a preencher muitas lacunas nesse meio-tempo. Restrições de tempo e interrupções aleatórias são mais a regra do que a exceção. São lições de casa para ajudar a fazer, histórias para ler, sapatos para encontrar, pedidos barulhentos e prolongados na hora de dormir para ouvir (e negar), e, se você conseguir achar uma hora ou algo assim para um estudo bíblico intencional, eu adoraria que viesse à minha casa e a encontrasse para mim.

Se esse for seu caso também — seja qual for a razão —, deixe-me sugerir uma solução que funcionou para mim e que pode, pelo menos, se adequar a algumas das fases mais agitadas de sua vida. Isso não anula sua necessidade de criar um tempo de silêncio, mas é útil para aqueles dias em que, você sabe... simplesmente não sobra tempo.

Escolha um versículo para a semana e escreva-o em vários cartões. Coloque um cartão no espelho do banheiro e os demais em outros lugares onde você provavelmente irá vê-los com frequência. Todo dia, durante sete dias, recite esse versículo e medite nele enquanto lava o rosto, realiza suas tarefas, espera em filas e está parada em semáforos. Mesmo quando estiver no parquinho com seus filhos, à mesa, descascando batatas para o jantar ou se preparando para uma reunião do comitê, é possível dar a essa única porção da Palavra de Deus a oportunidade de ecoar em seus pensamentos conscientes.

Ao longo do dia, peça a Deus que lhe mostre claramente como esse versículo se aplica às situações que você está vivendo. Mantenha um registro das vezes em que Deus o utilizar para lhe dar direção em seu dia a dia. Ao final da semana, esse único versículo estará tão profundamente gravado e inscrito em seu coração que você poderá carregá-lo consigo para sempre. Você verá como Deus utiliza a Palavra viva dele para falar com você em um nível profundamente pessoal e ajudar na transformação de sua alma a fim de se adequar aos planos que ele tem para você.

É isso que espero que aconteça agora enquanto continuamente apresento meu corpo como um sacrifício vivo e mergulho todos os dias, regularmente, na Palavra de Deus e no caminho dele — e é isso que ele fará por você.

Tenho certeza de que ele nos dará o desejo (se ainda não houver) de fazer o que ele deseja, conformando nossas vontades às dele. Saber que ele está trabalhando alivia a pressão.

Desafios do capítulo

- Não hesite nem tenha receio de descobrir a vontade de Deus para você.
- Coopere com a obra de transformação do Espírito em sua vida, imergindo-se nas Escrituras, permanecendo sensível à direção dele e sendo obediente a suas diretrizes.
- Apresente seu corpo como um sacrifício vivo a Deus.
- Mantenha seu compromisso com a Palavra de Deus, mesmo quando isso não pareça fazer grande diferença.
- Considerando o ritmo de seu estilo de vida, pense em maneiras criativas de manter as Escrituras no centro de seu coração e de sua mente.

4
O que é melhor do que um arbusto?

> Quando vier o Espírito da verdade, ele os conduzirá a toda a verdade. Não falará por si mesmo, mas lhes dirá o que ouviu e lhes anunciará o que ainda está para acontecer.
>
> João 16.13

Todas essas questões sobre consciência, voz interior e um novo conjunto de vontades e desejos são boas para se pensar, mas também parecem dar muito trabalho. Você já desejou que Deus mostrasse a vontade dele de uma maneira tangível e impressionante, como ele fez tantas vezes nas Escrituras? Algo que você pudesse ver ou ouvir com seus sentidos físicos normais?

É claro que sim.

Eu também. Toda vez que leio sobre as maneiras miraculosas que Deus muitas vezes escolheu para conduzir os israelitas, não consigo deixar de sentir inveja deles. Quero dizer, não seria incrível se algo tão visível quanto uma nuvem de fogo aparecesse de repente sobre sua cabeça e começasse a se mover na direção exata em que você deveria seguir? Isso acabaria com grande parte das suposições, não é? Vou lhe dizer uma coisa: eu adoraria que fosse assim e, às vezes, anseio por isso.

Na verdade, hoje seria um bom dia para isso, já que estou prestes a determinar se Deus gostaria que eu assumisse um novo projeto em vista.

Ao examinar tanto o Antigo quanto o Novo Testamento, vemos Deus falando com seu povo de muitas maneiras incríveis:

- Um arbusto (Êx 3.4) e corações ardentes (Lc 24.32).
- Sua glória (Nm 14.22) e sua humilhação (Fp 2.8).
- Um fogo (Dt 5.24) e uma nuvem (Mt 17.5).
- Seu nome (Js 9.9) e sua criação (Rm 1.20).
- Sinais visíveis (Jz 6.40) e um Espírito invisível (Mt 10.20).
- Visões (Sl 89.19) e sonhos (Mt 2.12).
- Mestres (Ec 1.1) e evangelistas (At 8.35).
- Anjos (Dn 8.15) e apóstolos (2Pe 3.2).

E a lista continua. Muitas vezes, a Bíblia não nos diz exatamente como ele escolheu falar, apenas que "o Senhor falou", e aqueles que o ouviram não tiveram sombra de dúvida sobre quem estava falando ou o que ele estava dizendo. Quer ele falasse para revelar sua natureza quer para dar uma direção específica, sua voz era clara. Inconfundível. Desde o início dos tempos, e qualquer que fosse o método escolhido, ele falava de maneiras que poderiam ser claramente compreendidas, revelando seu profundo desejo de assegurar que a comunicação entre ele e seus filhos fosse possível.

E embora os métodos tenham mudado ao longo dos séculos — por suas próprias razões sábias e soberanas —, seu objetivo não mudou. Ele sempre quis que seus filhos ouvissem, reconhecessem e seguissem sua voz. Ele quis isso naquela época; ele quer isso agora.

Voltemos um pouco em uma pequena história bíblica para provar isso.

> Por muito tempo Deus falou várias vezes e de diversas maneiras a nossos antepassados por meio dos profetas. E agora, nestes últimos dias, ele nos falou por meio do Filho, o qual [...] irradia a glória de Deus, expressa de forma exata quem Deus é.
>
> HEBREUS 1.1-3

A história fala

Uma das maneiras pelas quais Deus falava com seu povo nos tempos do Antigo Testamento era por meio de um *profeta*. E a principal maneira pela qual o povo poderia confirmar a mensagem do profeta era por meio de um *sinal* visível. Profecia e sinais andavam de mãos dadas.

Por exemplo, quando quis advertir seu povo sobre adorar falsos deuses nos dias do profeta Elias, Deus instruiu seu servo a falar com o povo no monte Carmelo (1Rs 18). Você não teria gostado de estar lá para testemunhar essa manifestação divina da autoridade de Deus?

Primeiro, Elias desafiou o povo a decidir a quem serviria: a Deus ou a Baal. Uma vez que o povo não quis responder, ele propôs um pequeno desafio. Os profetas de Baal escolheriam dois novilhos. Colocariam um dos novilhos em seu próprio altar e invocariam seu deus. Elias colocaria o outro novilho no altar do Senhor e invocaria o nome do Senhor. Aquele que respondesse com fogo na madeira do altar seria revelado como o único Deus verdadeiro. Justo, não é?

Bem, foi aí que as coisas ficaram realmente fascinantes, porque, a despeito dos esforços ensandecidos dos profetas para fazerem Baal responder, nada aconteceu. Elias até elevou o nível do desafio ao instruir que fosse derramada água sobre o novilho no altar do Senhor. Toda aquela comoção, e então... nada. Mas quando Elias se aproximou do altar do Senhor e orou, o fogo de Deus imediatamente desceu do céu e consumiu a oferta. "Quando o povo viu isso, todos se prostraram com o rosto no chão e gritaram: 'O Senhor é Deus! Sim, o Senhor é Deus!'" (1Rs 18.39).

Primeiro, a mensagem do profeta; depois, o sinal visível para confirmá-la.

Isso aconteceu inúmeras vezes, de várias maneiras, ao longo de todo o Antigo Testamento (por exemplo, Êx 16.4-36; 1Rs 17.1-7). No entanto, as coisas mudaram quando Cristo veio. O Filho foi a mensagem do Pai para toda a humanidade — uma revelação completa de quem ele é e de quais são seus propósitos. Os profetas já não eram uma das principais maneiras de Deus falar com seu povo. Quando Jesus veio e andou neste mundo, Deus começou a falar por meio de seu Filho, e ele, por sua vez, confirmou a Palavra de Deus por meio de milagres. *Cristo* e os *milagres* trabalhavam de mãos dadas.

Vemos isso, por exemplo, quando ele ressuscita Lázaro dentre os mortos. A mensagem que ele estava entregando ao seu povo naquele momento era esta: "Eu sou a ressurreição e a vida. Quem crê em mim viverá, mesmo depois de morrer. Quem vive e crê em mim jamais morrerá" (Jo 11.25-26). Assim, para confirmar a verdade dessa mensagem, ele realizou um milagre, chamando seu amigo Lázaro de volta à vida quatro dias após a morte do homem.

Que razão as pessoas tinham para acreditar que ele estava dizendo a verdade quando falava de ser "a ressurreição e a vida"? O que dizer de pôr um homem morto em pé novamente? Jesus embasava suas palavras com milagres.

No entanto, à medida que se aproximava o momento de sua morte, as coisas mudariam mais uma vez. Ele disse a seus discípulos que estava prestes a deixar o mundo e ir para seu Pai. "Mas, na verdade", disse-lhes, "é melhor para vocês que eu vá, pois, se eu não for, o Encorajador não virá. Se eu for, eu o enviarei a vocês" (Jo 16.7).

E assim aconteceu.

Quando o Espírito Santo chegou a Jerusalém no dia de Pentecostes com um ruído forte, um vento impetuoso e línguas de fogo, não houve como negar que Deus era a fonte desses novos acontecimentos. E, ao capacitar os cristãos para receberem de fato esse Espírito dentro de si mesmos, Deus iniciou a forma mais pessoal pela qual ainda fala conosco hoje — por meio direto do Espírito Santo, de mãos dadas com as Escrituras.

Veja, nos tempos do Antigo Testamento, nem todos que criam em Javé tinham também o Espírito Santo. Ele vinha apenas a pessoas específicas, em um momento específico, para realizar uma tarefa específica. Toda vez que essa tarefa era concluída (ou antes, se a pessoa pecasse e se rebelasse), o manto e o poder do Espírito Santo eram retirados (Jz 16.20; 1Sm 18.12). Contudo, depois que Jesus ascendeu ao Pai, o Espírito tornou-se uma presença permanente na vida de todos os cristãos. E, desde esse momento, ele tem tentado revelar a mente de Deus de maneira individual e contínua a todo santo disposto a ouvir.

Espere aí. Se as coisas mudaram no Pentecostes com a chegada do Espírito Santo, por que o restante do livro de Atos — o registro da igreja do primeiro século — ainda está repleto de atividades milagrosas? Por que Deus ainda continuava a manifestar sua presença de maneiras impressionantes (de formas que apelavam aos cinco sentidos físicos) mesmo após a vinda do Espírito?

Os apóstolos e seus companheiros próximos realizaram milagres nos primeiros anos da igreja pela mesma razão que Jesus os realizou: para confirmar suas palavras faladas, que ainda não haviam sido totalmente registradas. Contudo, uma vez que sua Palavra foi escrita, já não era necessário *depender* de milagres como única validação do que ele disse. Isso não significa que Deus não possa realizar ou deixou de realizar milagres. Significa apenas que não precisamos *depender* deles para saber quando Deus está falando.

Temos sua Palavra.

Temos seu Espírito.

A *Bíblia* e o *Espírito Santo* andam de mãos dadas.

Embora cada estágio do meio de comunicação escolhido por Deus fosse diferente, seu principal propósito sempre foi claramente o mesmo: dar aos cristãos a oportunidade de ouvir sua voz. Assim, ele considerou com cuidado a melhor maneira para isso acontecer no Antigo Testamento, durante o ministério terreno de Cristo e agora, após o retorno de Cristo ao céu. Como os cristãos de antigamente, ainda somos beneficiários de uma opção considerada com cuidado e selecionada pelo Pai para aqueles que ele ama.

> Quando Deus fala, ele não oferece uma nova revelação sobre si mesmo que contradiz o que já revelou nas Escrituras. Em vez disso, Deus fala para aplicar a Palavra dele a circunstâncias específicas em sua vida. Ao falar com você [...] ele está aplicando à sua vida o que já disse na Palavra dele.
>
> HENRY E RICHARD BLACKABY

Principalmente poderoso

Você está decepcionado com isso? Acha que esse método moderno de quietude e santificação, de ouvir em silêncio a voz do Espírito em seu íntimo e de ter confirmação por meio da Palavra de Deus é, de alguma forma, uma opção inferior, a segunda melhor opção? Aquele arbusto ainda seria suficiente para você, em oposição a toda essa história de oração, estudo, paciência e sutileza?

Acredite, entendo o que você está sentindo. É muito tentador querer que a voz de Deus soe alta e nítida, irrompendo sobre todos nós de uma vez como o sol do meio-dia. Obter respostas para perguntas importantes que temos sobre em que escola colocar nossos filhos, de qual igreja participar, para qual vaga de trabalho se candidatar, qual médico escolher — iluminados por um sinal espetacular do céu que não deixa dúvidas sobre qual direção devemos seguir...

O que poderia ser melhor do que isso?

Mas considere o seguinte. Embora muitas vezes desejemos ter o que os filhos de Deus tinham nos dias do Antigo Testamento, acredito que eles provavelmente prefeririam o que temos hoje: a bênção especial do Espírito Santo. Eles não tinham escolha senão depender de profetas e sinais visíveis, uma vez que não conheciam o Espírito Santo de maneira tão plena como nós o conhecemos nesta era da igreja. Possuímos uma bênção que eles só poderiam esperar: o contato pessoal direto com o Deus vivo. Mesmo que a voz de Deus às vezes seja difícil de discernir sem autonegação e disciplina cuidadosa e deliberada, é um presente que as eras passadas teriam invejado. É por isso que vemos o salmista suplicando: "Não retires de mim teu Santo Espírito" (Sl 51.11).

Então, em vez de desejarmos que Deus "faça algo" para nos revelar sua vontade, deveríamos celebrar o fato de que ele já *fez* algo, algo surpreendentemente deslumbrante, dando-nos o presente mais precioso de todos e oferecendo uma forma de fazer sua voz ser ouvida e conhecida. Toda vez que nos ajoelhamos em oração ou lemos sua Palavra e recebemos mesmo um sussurro sutil da sabedoria, conselho ou convicção de Deus por meio de seu Espírito dentro de nós, estamos desfrutando de um privilégio que nossos irmãos e irmãs do Antigo Testamento teriam apreciado imensamente no relacionamento diário que tinham com o Senhor.

A forma mais espetacular pela qual Deus já falou com seu povo é aquela pela qual ele fala conosco hoje: por meio da dádiva íntima e incrível de seu Espírito que habita em nós e de sua Palavra atemporal, viva e santa. E se insistirmos em procurar ouvi-lo *apenas*, ou mesmo *principalmente*, de maneiras sensacionais — a vaga de estacionamento vazia, uma moeda lançada ao ar, um dedo apontado às cegas para um único versículo da Bíblia —, perderemos o meio mais pessoal de comunicação possível com ele.

Anime-se com isso, meu amigo.

É melhor do que um arbusto.

Mas espere um minuto. Para que você não pense que evitei o assunto e deixei de acreditar que Deus pode falar de maneiras evidentes e tangíveis, eu gostaria de contar algo. Embora o principal meio usado por Deus para se comunicar conosco possa ser a voz gloriosamente suave de seu Espírito Santo que habita em nós e de sua Palavra — e embora eu admita livremente que minha experiência normal com ele não está repleta de mares Vermelho, rios Jordão e jumentos falantes —, não estou dizendo nem por um segundo que Deus não continue a ser um especialista em milagres. Ele os realiza o tempo todo. Gostaria de poder me sentar ao seu lado em uma cadeira de balanço na varanda de uma pequena pousada em algum lugar e passar a manhã toda lendo para você trechos de meu diário. Assim você saberia que não estou brincando.

Deus ainda intervém em nosso mundo com o intuito de curar corpos doentes. Curar emoções fraturadas. Remover desejos que saem dos lábios das pessoas e causam vícios. Colocar uma quantidade x no bolso de alguém cuja necessidade específica não é menos, nem mais, mas exatamente essa quantidade x. Pergunte à sua volta, e você encontrará alguém que viu de perto esse tipo de coisa acontecer. Sei que *eu* já vi. Milagres. Obra das mãos de Deus. Como pessoas que creem em Cristo, podemos orar por eles e esperar recebê-los de nosso Pai celestial, de acordo com sua sabedoria superior e tempo perfeito.

Então, quando digo que não devemos *depender* do maravilhoso e do miraculoso para ter informações sobre o trono de Deus, não estou dizendo que devemos deixar de esperá-lo. Deus não deixa de ser surpreendente. Nosso relacionamento com ele ainda se vê muitas vezes diante do sobrenatural. É disso que trata a vida no Espírito. Ele não é incapaz nem está relutante em fazer com que essa combinação do Espírito e da Palavra surpreenda de vez em quando.

Deixe espaço para Deus ser Deus.

Quem somos nós para dizer o que ele não pode fazer ou não fará? Conheço pessoas muito tementes a Deus e biblicamente embasadas que ouviram a voz dele de maneiras que muitos de nós não considerariam nem um pouco ortodoxas. Ainda assim, não rejeito a sinceridade do encontro que tiveram com Deus só por ser algo que não vivenciei ou nunca esperaria dele. Sei que Deus não operará de maneira que contradiga sua Palavra ou seu caráter. Mas só porque temos uma Bíblia e sabemos bem o que ela diz não significa que saibamos tudo sobre ele ou que algumas de nossas noções preconcebidas não sejam mais do que tentativas vãs de limitar o Todo-poderoso.

Eu esperaria que ele não se importasse em sacudir um pouco essas noções às vezes.

De fato, há vários anos, Deus falou claramente comigo de uma maneira que eu nunca havia visto. Foi algo novo, um pouco desconfortável, mas tão nitidamente de Deus que eu teria sido louca se o tivesse confundido com qualquer outra coisa (ou qualquer outra pessoa). Tudo começou quando comecei a sentir que o Senhor queria que eu seguisse uma nova direção espiritual e pessoal. Era como se a segurança e a familiaridade de minha experiência cristã até aquele momento tivessem me deixado um pouco estagnada e parcialmente cega. Minhas bases espirituais eram sólidas, e aqueles que me ajudaram a estabelecê-las eram crentes sinceros e fiéis. Mas há momentos em que devemos nos desafiar, ver o que Deus fará além daquilo que esperamos. E comecei a sentir esse ardor no coração, compelindo-me a expandir meu território e aumentar minha capacidade, preparando-me para experimentar Deus de uma maneira completamente nova.

Eu estava hesitante quanto a isso. Minha personalidade muitas vezes é um pouco avessa à mudança. Eu tinha algum receio sobre o que isso significaria, não apenas para mim, mas também para o ministério que o Senhor havia me confiado. Teria sido muito mais fácil montar meu acampamento e me acomodar onde eu já estava espiritualmente assentada. Mas, com base no que estava ouvindo de Deus em minha oração pessoal e em meu estudo da Bíblia, eu sabia que o Espírito Santo estava me instigando a explorar.

Por alguma razão.

Como parte de minhas primeiras etapas de obediência nessa área, participei de um estudo bíblico totalmente novo. Não conhecia ninguém no grupo e ninguém me conhecia — o que era exatamente como eu queria, caso as coisas ficassem estranhas e eu precisasse sair de mansinho pela porta dos fundos. Mas, no final da mensagem do professor naquela primeira noite, ele olhou em minha direção e disse algo extraordinário.

Foi bom eu ter ido.

Agora, antes de contar na íntegra o resto dessa história, eu gostaria de esclarecer algo. Acredito que transmitir a "mensagem de conhecimento" e "profetizar" (1Co 12.8,10) sejam dons muito genuínos do Espírito que os cristãos do Novo Testamento podem receber conforme ele escolhe distribuí-los. Sim, entendo perfeitamente as diferenças de opinião nesse sentido, mas não vejo razão para que esses dons sejam excluídos dos textos e enumerações bíblicos.

Pronto, falei.

E, embora eu não acredite que mensagens proféticas que acrescentam algo às Escrituras ou retiram algo delas possam ser recebidas como mensagens de Deus, realmente acredito que o Espírito concede a algumas pessoas, em determinadas ocasiões, a capacidade divina de ter informações reveladoras sobre a vida de outra pessoa. E quando isso acontece, aquele cristão tem a oportunidade (e, francamente, a responsabilidade) de compartilhar essa mensagem bíblica que se aplica à situação da outra pessoa e confirma a voz e a direção de Deus.

Você não precisa concordar comigo... desde que continue a ler.

Naquela noite, o líder do estudo bíblico me disse: "Desculpe, não sei seu nome, mas me sinto impelido a compartilhar algo com você. Comecei a orar por você assim que você chegou, e o Senhor me deu uma imagem mental de uma linha de trem antiga e precária. Era antiga, mas firme. De repente, um trem futurista e aerodinâmico, apinhado de passageiros, surgiu trovejando nos trilhos. Eu nunca tinha visto um trem como aquele. Era novo e diferente, mas estava perfeitamente ajustado àquele trilho antigo e firme.

"Jovem, eu acredito que o Senhor deseja fazer algo novo em sua vida, e será difícil para você imaginar porque será algo que você nunca viu ou experimentou. Mas você não precisa ter medo, porque a base antiga, forte e sólida da Palavra de Deus será onde essa obra iminente se estabelecerá. E, a propósito, não se trata apenas de sua vida. Muitas pessoas embarcarão nessa jornada com você".

As lágrimas desceram nesse momento. Um estranho gentil ao meu lado me entregou um lenço enquanto o professor continuava.

"Esqueçam tudo isso", disse ele, citando Isaías 43.18-19. "Não é nada comparado ao que vou fazer. Pois estou prestes a realizar algo novo. Vejam, já comecei! Não percebem? Abrirei um caminho no meio do deserto."

Ora, ora.

Não é preciso dizer que essa mensagem mexeu profundamente comigo. Para ser honesta, eu não sabia o que fazer com ela, senão acreditar que era o próprio Deus. Ouvir a voz dele dessa maneira foi algo inusitado para mim. Mas eu não podia negar a relevância do que o professor tinha dito. Com base no testemunho interior do Espírito Santo, eu sabia que Deus estava falando comigo.

Então, simplesmente aceitei a mensagem e mantive os olhos abertos para as experiências "totalmente novas" que Deus colocaria em minha direção para sua glória e o avanço de seu reino — não apenas porque o havia ouvido de uma maneira espetacular, diferente de como eu normalmente ouvia a voz do Espírito, mas porque isso confirmou totalmente o que ele já estava me dizendo. (Você se lembra que falamos sobre a "misericórdia da confirmação" nos "cinco Ms" do capítulo 2?)

E, uau, essa mensagem se mostrou verdadeira nos anos que se passaram desde aquele momento. Deus expandiu nossas oportunidades de servir ao Corpo de Cristo de maneiras singulares em relação às nossas experiências anteriores. Por meio de uma série de eventos, nós nos unimos a ministérios voltados para órfãos em Uganda, concentramos esforços no combate ao tráfico sexual para resgatar jovens escravizadas na Grécia e apoiamos abrigos para mulheres na América do Norte. O novo foco de nosso ministério passou do simples ensinamento que vinha de um púlpito para a priorização de iniciativas evangelísticas que auxiliassem na transformação prática da vida das pessoas. A jornada tem sido incrível. E muito além de minha capacidade de compreensão. Para a glória de Deus.

A lição a ser aprendida com isso, em minha opinião, é dupla. Deus definitivamente é capaz de nos surpreender com suas respostas miraculosas às orações ou com a ocasional clareza eletrizante de sua mensagem. Isso faz parte do modo como ele fala conosco, e nós devemos ter nossos ouvidos espirituais abertos para isso. Mas não devemos *depender* dessas coisas como se fosse a única maneira de recebermos uma palavra dele. Tais revelações extraordinárias e surpresas não estabelecem a *base* para que o ouçamos. Em vez disso, ele pode optar por entregá-las em momentos especiais a fim de *confirmar* as mensagens que já recebemos das páginas das Escrituras e do conselho do Espírito. Ele não promete nos conduzir de maneira a apelar a um de nossos cinco sentidos, mas sim ao nosso espírito — pela direção do Espírito Santo dentro de nós. "Porque todos que são guiados pelo Espírito de Deus são filhos de Deus" (Rm 8.14).

À medida que o Espírito de Deus fala, personalizando sua mensagem de várias maneiras, ouvimos sua voz. Dentro de nós. Impelindo. Encorajando. Convencendo. Desafiando. Ensinando. E nos guiando diretamente para o centro de sua vontade para nossa vida.

Desafios do capítulo

- Cuide para que o seguinte modelo bíblico esteja presente em sua base de conhecimento: (1) Uma das principais maneiras pelas quais Deus falava no Antigo Testamento era por meio de profetas e sinais visíveis. (2) A principal maneira pela qual Deus falou durante o ministério terreno de Jesus foi por meio de seu Filho e de milagres. (3) A principal maneira pela qual Deus fala hoje é por meio de sua Palavra e seu Espírito.
- Considere a principal maneira da qual você está dependendo para ouvir a voz de Deus e renove seu compromisso com os principais meios que ele escolheu para esta era.
- A atividade externa deve servir, sobretudo, como confirmação, não como base para ouvir a voz de Deus. Avalie se você tem reagido muito rapidamente e tomado decisões importantes com base apenas em observações externas.
- Mantenha-se aberto e disposto a experimentar Deus de maneiras diferentes daquelas com as quais você está acostumado, desde que elas não sejam contrárias à Palavra dele.
- Comprometa-se a orar para que você esteja completamente aberto para o Espírito de Deus.

PARTE 2

Reconheça o som da voz de Deus

5
Ele é persistente

*Deus falou claramente,
e eu ouvi várias vezes.*

SALMOS 62.11-12

Toc, toc.

E quem estava lá não era outra pessoa senão minha vizinha, bem no meio do dia, parada na varanda da frente, querendo algo.

Eu não estava a fim de companhia. Não estava vestida para visitas. Você já passou por isso, não é? Então talvez não me julgue com dureza pelo que fiz: esforcei-me quanto pude para ficar completamente imóvel e em silêncio, como se não estivesse em casa, escondida em meu quarto até que a batida finalmente cessasse.

"Dê uns minutos para ela", pensei, "e ela, com certeza, entenderá a mensagem."

Mas ela não entendeu. Quanto mais eu a ignorava, mais ela batia. Não demorou muito e lá estava ela, batendo na porta com a maior força possível e até gritando meu nome. Então, saí da segurança de meu abrigo no quarto — antes que ela desse a volta na casa e começasse a olhar pelas janelas, quem sabe. Imaginei que meu disfarce tivesse sido descoberto. A contragosto, atravessei o corredor arrastando os pés e abri a porta.

E, meu Deus, que bom que fiz isso!

Ela não estava atrás de mim simplesmente para bater um papo. Não, uma fumaça subia na lateral de nossa casa. Mais um de meus experimentos culinários tinha dado errado. Um pouquinho de gordura deixada no fundo do forno pegou fogo, e, antes que eu me desse conta, as chamas começaram a aparecer atrás do fogão. Não foi muito sério, mas, escondida em meu quarto, eu talvez nunca tivesse me dado conta não fossem suas persistentes tentativas de falar comigo.

Quando Deus tem uma mensagem para você, ele é persistente. Como minha vizinha incansável, ele não vem até você apenas uma vez e, então, vai embora pensando: "Ah, tudo bem, acho que ela está ocupada agora". Não, quando Deus fala, você pode esperar que ele continuará a aparecer, recusando-se a ir embora. Como aconteceu com o menino Samuel no templo (1Sm 3), os dois viajantes na estrada para Emaús (Lc 24), a mulher que Jesus encontrou junto a um poço em Samaria (Jo 4) ou o profeta Jonas fugindo da instrução inicial do Senhor, Deus continua a se comunicar até que as pessoas reconheçam quem ele é e o que está dizendo.

Então, enquanto você busca ouvir a voz do Espírito na situação específica que está vivendo neste momento — seja uma mudança, um problema de relacionamento, uma decisão no tabalho, a melhor maneira de lidar com um filho rebelde —, o que quer que seja, pergunte a si mesmo:

- Quais agitações persistentes em meu íntimo tenho sentido?
- Como Deus está confirmando essa mensagem de outras maneiras externas?

Quando Deus fala com você por meio do Espírito Santo em seu íntimo e também confirma isso por outros meios externos, esteja atento às direções dele. Se perceber uma mensagem consistente confirmada por meio da direção do Espírito Santo, das Escrituras, de suas circunstâncias e de outras pessoas... preste muita atenção. Deus está se repetindo para assegurar que você a entenda.

Frederick Meyer, em *The Secret of Guidance* [O segredo da orientação], disse: "As impressões de Deus em nosso íntimo e sua Palavra fora de nós sempre são corroboradas por sua providência à nossa volta, e devemos esperar em silêncio até que essas três se concentrem em um ponto. [...] Se você não souber o que deve fazer, fique parado até que saiba. E quando chegar a hora de agir, as circunstâncias, como vaga-lumes, cintilarão ao longo de seu caminho. Quando os três testemunhos de Deus coincidirem, você terá tanta certeza de que está certo que não terá como ter mais certeza mesmo que um anjo acene para você".

O Espírito Santo está operando em seu coração, no coração dos outros e nos eventos de sua própria vida para apontá-lo para a direção dele. Todas essas coisas — e mais — representam as tentativas incessantes que ele faz para falar com você e fazer com que ouça. E, honestamente, quanto mais séria e vital for a decisão em que você precisa "aterrissar", mais luzes você deverá exigir (e ele será fiel em provê-las) antes de pousar nela.

Ao discernir a voz de Deus, espere que ele seja persistente.

> Preste atenção! Estou à porta e bato. Se você ouvir minha voz e abrir a porta, entrarei e, juntos, faremos uma refeição, como amigos.
>
> APOCALIPSE 3.20

Ainda batendo

O texto de Apocalipse 3.20 muitas vezes é ensinado e pregado como um apelo aos perdidos, refletindo a persistência de Deus em bater à porta do coração dos que não são salvos. E embora *possa* ser aplicável nesse sentido, essa passagem, na verdade, foi dirigida à igreja primitiva em Laodiceia — às pessoas que já criam em Jesus como o Messias.

Trata-se da persistência de Deus com seu próprio povo.

E, nesse caso, o povo estava "morno" (v. 16). Embora geralmente satisfeitas por fazer parte da igreja, as pessoas também tinham dinheiro suficiente para se manter confortáveis e desfrutar da ilusão de segurança. Assim, ao que parecia, tratavam sua fé e crença em Cristo como mais uma bela peça para o guarda-roupa. Aceitavam-no em pequenas doses, conforme a necessidade.

Portanto, não é de surpreender quando vemos que Deus as repreende por sua espiritualidade indiferente. Mas o que é impressionante (e encorajador) é que Deus ainda estava atrás delas, ainda batendo à porta de seu coração, ainda desejando um relacionamento mais íntimo com elas. E ele não se acanhava em ficar ali o tempo que fosse preciso para que abrissem a porta e o deixassem entrar. No idioma original, a palavra "bater" está no tempo presente. Isso é significativo. É uma voz gramatical que descreve uma ação que está acontecendo no momento sem avaliação da ação sendo concluída. A imagem descrita de nosso Deus é a de Alguém que não para de bater enquanto anseia ardentemente por uma resposta daqueles que ele ama.

Esse ato no último livro da Bíblia reflete o coração de Deus em busca de conexão com seu povo ao longo de toda a Escritura. Ao lermos a Palavra, vemos o chamado persistente de Deus na tentativa de fazer com que ouvidos surdos e corações endurecidos se voltem para ele. E, ainda hoje, ele vai constantemente atrás de seus santos, mesmo quando eles — mesmo quando nós — estão correndo rapidamente na direção oposta. Ele nos ama, por isso continua. Nunca se cansa. Nunca recua.

Ele é persistente.

O livro de Jó revela algumas das maneiras persistentes pelas quais Deus falava com seu povo no Antigo Testamento, tanto sutis quanto impressionantes. Veja estas passagens de Jó 33:

- "Fala em sonhos, em visões durante a noite" (v. 15).
- "Sussurra em seus ouvidos e aterroriza-os com advertências" (v. 16).
- "Faz que deixem de praticar o mal e livra-os do orgulho" (v. 17).
- "Preserva-os do túmulo e de serem atravessados pela espada" (v. 18).
- "Deus os disciplina no leito de enfermidade, com dores constantes nos ossos" (v. 19).
- "Eles perdem a vontade de comer; nem mesmo o alimento mais delicioso lhes apetece" (v. 20).
- "Sua carne definha a olhos nus, e seus ossos ficam à vista" (v. 21).

Tudo bem, nem todas essas passagens são bonitas. Mas todas podem ser muito eficazes em se tratando de chamar a atenção das pessoas. Em cada um desses exemplos, o Senhor mostra que é capaz de organizar eventos de modo a fazer seu povo perceber que ele está falando. Incansavelmente. Até que ouça.

O ponto a ser defendido aqui é que você pode confiar que seu Deus continuará a se aproximar. Ele não lançará as mãos para o alto, se perguntando por que você simplesmente não entende. Nem esconderá seus planos de você quando estiver pronto para que você saiba quais são. Ele continuará consistentemente a bombardear seus pensamentos e seu coração com a mensagem dele até que você esteja convencido de que ela é autêntica.

Ainda que leve um tempo.

O que realmente acontece, com a maioria de nós. Somos perfeitamente capazes de ignorar os sinais de Deus, concorda? Nem sempre estamos antenados. Nem sempre estamos no modo de escuta. Mas ele conhece bem esse fato sobre nós. Ele sabe que nem sempre recebemos bem os sinais, dependendo de onde estamos localizados ou de onde está nossa cabeça.

Então, enquanto continuamos a crescer, ele continua a falar. E continua a falar. Primeiro dessa maneira, depois de outra. Várias vezes. Repetidamente.

E quando o que estamos ouvindo é *tão* persistente *assim* e está também em sintonia com a Palavra escrita de Deus, é a esse tipo de voz que devemos estar atentos.

> O Senhor nos guia por meio de sua Palavra, por meio de sentimentos e por meio de circunstâncias, e principalmente por meio dos três juntos.
>
> Corrie ten Boom

À procura de padrões

Muitas pessoas são rápidas em atribuir coisas aparentemente coincidentes ao acaso. Um de meus filmes românticos favoritos enfoca exatamente isso, em que uma série de eventos fortuitos une um homem e uma mulher a despeito de probabilidades incríveis. Para onde quer que olhem, os acontecimentos conspiram para colocá-los frente a frente — um com o outro, com o destino deles — até que o filme termina (como todos os bons romances devem terminar) com os dois juntos em uma verdadeira história de amor.

Que fofo!

Mas, na vida real, não devemos interpretar tão superficialmente os eventos de nossas circunstâncias. Devemos ver os acontecimentos de nossa vida de maneira muito diferente de como um incrédulo veria. Enquanto para alguns um padrão recorrente é apenas um simples reflexo de como os "astros se alinharam", nós temos mais discernimento. Sabemos que as circunstâncias são controladas por aquele que concebeu os "astros" desde o princípio.

Nunca pense que as circunstâncias de sua vida não têm nada a ver com a vontade de Deus. Elas têm *tudo* a ver! Ao buscar a direção de Deus, você sempre deve refletir sobre os eventos que o Senhor está permitindo que ocorram em sua vida. *Pressentimentos íntimos que persistem, combinados com a confirmação externa, muitas vezes são a maneira pela qual Deus conduz os cristãos à sua vontade.*

Pare e leia essa frase novamente. Devagar... Eu espero.

Como disse Beth Moore certa vez em um e-mail: "Eu sei que Deus está falando comigo sobre um determinado assunto quando parece que tudo o que ouço ou leio por um tempo aponta para a mesma questão. Sempre que Deus fica 'temático' comigo, meus ouvidos começam a ficar aguçados".

Ela disse bem.

Já compartilhei várias ilustrações pessoais com você. Mas gostaria de deixar mais uma aqui porque acredito que essas são de fato instrutivas — e, com certeza, são situações da vida real, como posso atestar claramente. Esse tipo de coisa é comum quando Deus tem uma palavra específica para você.

Há alguns anos, recebi de uma amiga um livro sobre o tema da oração. Tudo bem, você sabe o que normalmente acontece com livros que você ganha de outra pessoa. Você começa a ler o livro. Ele fica por ali. Você passa por ele quando vai preparar o jantar e gostaria de ter mais tempo para parar e ler. Por fim, ele vai parar no fundo de uma caixa ou é dado como presente de aniversário a um amigo. Mas, desde o momento em que peguei esse livro em particular, eu me vi estranhamente atraída à jornada espiritual do autor e à ideia de usar períodos intencionais de oração silenciosa para ouvir com mais clareza a voz de Deus. Na época, eu nunca havia pensado em nada disso.

Simplesmente amei. Eu o li duas vezes, na verdade. Do início ao fim. Meu coração ardia com o que estava sendo dito. Por conseguinte, pude sentir o Espírito Santo me chamando para me envolver com ele em oração de uma maneira totalmente nova.

Não muito tempo depois de terminar de ler o livro da primeira vez, meu estudo pessoal da Bíblia, um dia, me levou a Eclesiastes 5, cujos primeiros versículos dizem: "Quando você entrar na casa de Deus, tome cuidado com o que faz e ouça com atenção. […] Afinal, Deus está nos céus, e você, na terra; portanto, fale pouco". Onde essa passagem das Escrituras esteve escondida todo esse tempo? Era como se alguém tivesse inserido um novo versículo na Bíblia. Essas palavras enfáticas saltaram da página e tomaram conta de meu coração, confirmando a mensagem do livro com a qual eu estava tão fascinada, assim como a sensação que eu vinha recebendo o tempo todo da direção do Espírito.

Então, vários dias depois, eu estava em uma reunião — alguma coisa empolgante já aconteceu em uma reunião? — quando uma das mulheres sentadas à mesa mencionou um retiro do qual algumas mulheres de nossa igreja participariam. Quando perguntei um pouco mais sobre o retiro, ela me disse que era um…

Não pode ser. Ela disse um *retiro de oração silenciosa*?

Fiquei tão chocada que literalmente deixei cair os papéis que estava segurando — sem brincadeira! Além de ter sido apresentada ao livro que havia acabado de ler, eu nunca tinha ouvido falar de algo assim antes daquele momento — mulheres se reunindo para passar um dia e meio (trinta e seis horas ininterruptas) em total e silenciosa expectativa de ouvir a voz de Deus.

Por falar em uma circunstância se alinhando e fazendo todo o sentido...

E por falar em um Deus que é persistente em sua comunicação...

Então, quando recebemos no escritório uma ligação da rede de televisão Fox algumas semanas depois, informando que estavam criando um programa sobre vários tipos de oração e perguntando se eu estaria interessada em participar, qual você acha que foi minha resposta? Eu soube *de imediato* o que Deus queria que eu fizesse. Sem sombra de dúvida. Ele havia usado as circunstâncias de minha vida para confirmar a direção para a qual já vinha me guiando em meu íntimo. Sua perseverança me preparou para ouvi-lo. Sua persistência valeu a pena.

Coincidência? Acho que não.

As circunstâncias podem ser tão sagradas quanto um culto de adoração quando o Espírito Santo está nelas. Se ele estiver orquestrando os eventos em sua vida — e está! —, ele pode ir ao seu encontro e falar com você em qualquer lugar.

Mas preciso abrir parênteses aqui. Parece que a maioria das histórias que ouvimos — como aquela que acabei de contar — de pessoas reconhecendo a voz de Deus e podendo responder com confiança sempre gira em torno de coisas boas. Oportunidades. A chegada inesperada de bênçãos. Novas possibilidades interessantes. Circunstâncias *boas*.

Acho que essas histórias de fato resultam nos melhores materiais para sermões e parecem mais impressionantes na televisão. Teríamos muito mais vontade de ouvir a voz de Deus e estaríamos atentos às nossas circunstâncias se soubéssemos que sempre seria agradável lidar com elas e que elas produziriam esses resultados emocionantes e imediatos.

Mas a Bíblia está repleta de pessoas cujo encontro mais transformador com o Senhor ocorreu quando estavam em lugares onde *não* queriam estar:

- Moisés cuidando de um rebanho no meio do deserto (Êx 3.1).
- Daniel na cova dos leões (Dn 6.16).
- Jonas na barriga do peixe (Jn 2.1).
- Hagar em um deserto (Gn 21.17).
- Gideão debulhando trigo debaixo de um carvalho (Jz 6.11-12).
- Maria e Marta lamentando a perda de seu irmão Lázaro (Jo 11.21-27).

Obviamente, Deus também fala por meio de circunstâncias *difíceis*.

Você tem passado por algumas delas em sua vida? Está em um casamento com problemas? Está solteiro há mil anos? Tem um emprego que detesta ou talvez esteja pelejando só para conseguir qualquer trabalho que seja? Está lidando com as consequências de uma má decisão ou indulgência pecaminosa? Está diante de um exame que despertou as suspeitas de seu médico? Tentando descobrir como pagar as contas do início do mês *e* consertar a embreagem do carro que acabou de quebrar? Aceitando o fato de que sua filha grávida, que mora a três estados de distância, teve de ficar de repouso aos seis meses de gravidez, e ela realmente precisa da mãe neste momento?

Não encare isso como má sorte. Não se considere fora do radar de Deus, sem a necessidade de observar e de ouvi-lo até que as coisas melhorem. Não desperdice nem mesmo esses momentos estressantes de sua vida desejando estar em outro lugar, fazendo *qualquer coisa*, menos tendo de suportar esse caos agora.

Pode ser que ele esteja lhe dizendo algo em particular que deseja que você coloque em prática bem aí, nessas circunstâncias específicas. Ou ele pode estar prestes a usar essa estação seca ou terrível em sua vida como o catalisador para revelar uma mensagem importante e relevante para você. Não é o momento de desejar estar apaixonado, em vez de estar sozinho; de estar em tempo integral no ministério, em vez de estar em uma empresa; ou de casado com um cônjuge salvo, em vez de um não salvo.

Deus não deixou de ser persistente só porque está falando com certo tom ou por meio de uma circunstância que você não aprova. Às vezes, na verdade, a voz dele é mais clara quando estamos em situações que não escolhemos. Às vezes, um problema urgente ou persistente, ou uma crise que nos pega de surpresa, cria o ambiente mais propício para nos aproximarmos dele como nunca. Às vezes, não ouviremos de nenhuma outra maneira.

E ele sabe disso.

Não existe esse negócio de coincidência para Deus.

Você observará e ouvirá... mesmo agora?

> E sabemos que Deus faz todas as coisas cooperarem para o bem daqueles que o amam e que são chamados de acordo com seu propósito.
>
> Romanos 8.28

Ao seu redor

Uma última palavra sobre esse assunto. Mencionei muitas vezes como é importante que estejamos na Palavra, imergindo nosso espírito nos conselhos confiáveis de Deus, dando ao Espírito Santo a oportunidade mais nítida de sua voz sábia e santificadora conseguir se comunicar conosco.

Contudo, ocupando uma posição próxima em termos de prioridade à medida que buscamos nos tornar mais receptivos à voz de Deus, está a necessidade de nos envolvermos ativamente na família da igreja. Algumas das melhores formas de ouvirmos a voz de Deus por meio de nossas circunstâncias acontecem de maneira muito natural, quase sem esforço, no ritmo contínuo da vida da igreja. O Pai usa sua igreja como meio para nos conscientizar dos planos dele e de nossa conexão pessoal com eles.

Quantas vezes você já esteve sentado em um culto de adoração ou em uma aula dominical em que uma necessidade é mencionada ou um ministério é promovido, e isso tocou seu coração? Talvez seja um simples anúncio feito do púlpito ou um pedido de oração que você ouviu por acaso que o fez perceber uma necessidade à qual se sentiu impelido a responder. Ou talvez você observou alguém sentado duas fileiras à sua frente que, por alguma razão, o Espírito trouxe à sua atenção e o está instruindo a se aproximar e conhecer após o culto.

Oportunidades simples, mas essenciais, como essas muitas vezes são a maneira usada pelo Espírito para revelar necessidades dentro de seu Corpo, bem como os dons com os quais ele o equipou para suprir essas necessidades. Eu até mesmo ousaria dizer que, sem conexão dentro da igreja, você nunca atingirá plenamente sua estatura e potencial em Cristo. Por quê? Porque seus dons lhe foram dados para a edificação da igreja. E sem a oportunidade de fazer isso, você nunca estará cumprindo tudo aquilo para o qual foi chamado. Estar conectado à igreja de Cristo lhe dá a oportunidade de descobrir os propósitos e planos pessoais de Deus para você dentro deles.

Sendo clara, não significa que você foi chamado pessoalmente para ser a solução de toda necessidade que vê. Não seja codependente a ponto de pensar que cabe necessariamente a você resolver todo problema ou se envolver com ele. No entanto, se estiver ouvindo a voz de Deus de modo real, ativo e propositado — se já estiver sintonizado com ele por meio da oração, do estudo da Bíblia e de momentos habituais de quietude —, você não precisará adivinhar quando ele o está chamando a participar de um pedido ministerial. Isso estará conectado àquilo que ele já está lhe revelando por meio do Espírito que habita em você. Você observará um padrão apontando para a mesma direção.

Oportunidades constantes para ouvir a voz de Deus — sua voz *persistente* — estão por toda parte na igreja. Ele alinhará as necessidades do Corpo com os dons que lhe deu para edificá-lo. Assim, quando quiser que você responda, ele tocará seu coração para que saiba quando aceitar a vontade dele para você.

Esteja de orelhas em pé.

Mas há outras coisas a serem observadas na igreja do que simplesmente o quadro de avisos. Ao fazer parte dessa família, você se verá em um relacionamento com pessoas que podem identificar em você aquilo que você talvez não veja em si mesmo.

Foi assim que Josué chegou a uma posição de liderança entre as tropas do povo de Deus. Moisés o nomeou (Êx 17.8-16) para liderar os israelitas na batalha contra Amaleque, mesmo que a Bíblia não faça menção prévia da habilidade de Josué como comandante militar. Ele não se voluntariou para o cargo e provavelmente nem sequer tinha treinamento em táticas militares. Moisés, como um mentor sábio e perspicaz entre o povo de Deus, aparentemente viu o potencial não aproveitado em Josué, aguardando apenas uma oportunidade para ser provado. Fazer parte da família de fé colocou um líder que estava começando a ser notado na posição certa para ser comissionado, preparado, desafiado e, então, promovido para o serviço por alguém que reconheceu seus dons e habilidades.

Muitas histórias começam de maneira semelhante à de Josué. Multidões que encontraram seu chamado, serviram com êxito no ministério ou até mesmo alcançaram um nível de sucesso na carreira profissional podem apontar para outra pessoa que Deus usou como o catalisador para colocá-las na direção de seu próprio destino. Talvez não tenham percebido seu próprio gênio nem reconhecido suas próprias habilidades e capacidades únicas. Mas alguém, à margem da vida delas, percebeu isso, as encorajou e lhes deu a oportunidade.

Reflita sobre sua própria vida. Ao considerar onde você está neste momento e de onde veio, quem Deus usou como um instrumento para colocá-lo na direção certa? Ainda mais importante, como Deus poderia desejar usá-lo para fazer o mesmo por outra pessoa? Todo Josué precisa de um Moisés... e, muito possivelmente, você é a pessoa que alguém próximo tem procurado.

Não só isso, mas ter uma família espiritual oferece a todos nós pessoas a quem podemos recorrer para receber conselhos vindos de Deus quando não temos certeza de algo ou precisamos de oração e definição de responsabilidades. Já mencionei os "cinco Ms" no livro, em particular a "misericórdia da confirmação", que certamente se aplica ao que estamos tratando neste capítulo. O "ministério de Eli" — o processo de trocar ideias sobre o que você está ouvindo na oração e no estudo da Bíblia com seus irmãos e irmãs em Cristo, cujos ouvidos são sábios e confiáveis — é uma das grandes bênçãos de estar em constante comunhão com uma comunidade de fé. Ele lhe dá a oportunidade de se reunir com outros cristãos e ter a opinião deles sobre o que está acontecendo em sua vida, assim como você pode fazer por eles.

É claro que não somos infalíveis. O que você diz aos outros, ou o conselho que recebe de um de seus bons amigos da igreja, pode nem sempre ser de todo confiável. Você não pode simplesmente concordar com o que alguém lhe diz nesse contexto. Mas se você escolheu com cuidado um mentor sábio e temente a Deus, e se o que essa pessoa compartilha com você está alinhado com as Escrituras e com o que Deus tem falado em seu íntimo, existe uma boa possibilidade de que você esteja chegando à verdade do assunto em questão.

Você está tendo um momento de persistência.

Você está ouvindo a voz de Deus.

Mais uma vez.

É assim que ele trabalha. Sem parar. Ele não quer que você o ignore. Então, eu o incentivo a descansar nisso. Estar atento, sim. Ser diligente, sim. Ser intencional em relação a estar em silêncio com Deus e depois procurá-lo nas circunstâncias externas da vida, sim.

Mas lembre-se sempre de que ele é aquele que é fiel em ser persistente.

Enquanto você mantiver um coração sensível que deseja fazer a vontade de Deus, ele continuará a falar até que você o ouça.

Eu até diria que provavelmente a melhor e mais encorajadora declaração que já ouvi de pessoas que obviamente têm comunhão com Deus e têm caminhado fielmente com ele por muitos anos é esta: "Nem sempre acerto". Acontece que não há especialistas quando o assunto é ouvir a voz de Deus. Cada um de nós ainda está aprendendo a fazer isso. Então, dê um tempo para si mesmo. Não seja muito duro consigo mesmo. Mesmo quando você ouvir de maneira equivocada,

Deus conhece bem seu coração e honra a pessoa cujo desejo sincero é conhecer e fazer a vontade dele mesmo na imperfeição. "Quem quiser fazer a vontade de Deus saberá se meu ensino vem dele" (Jo 7.17).

Uma vez que ele anseia que você conheça a vontade dele, o fato de você ainda cometer erros ou se confundir de vez em quando não fará com que ele recue ou deixe de falar. Deus não o exclui depois de você ter avançado em uma área que julgava ser a vontade dele e acabou por descobrir mais tarde que não era. Pela graça de Deus, cada equívoco é outra oportunidade que ele transforma no maior mestre que você poderia ter para ouvi-lo no futuro.

Então, se sua aspiração sincera é conhecer e fazer a vontade de Deus, lembre-se de que ele também sabe disso. Não deixe que nenhum fracasso seja motivo para desanimar. Ele não deixará de trabalhar com você. Ele continuará a entrelaçar seu conselho e direção por meio de sua Palavra, por meio de circunstâncias bem colocadas, por meio da igreja, que é seu Corpo, e por meio de qualquer outra forma que escolher para transmitir sua mensagem. E à medida que você continuar a crescer, por meio de seus sucessos e fracassos, estará mais capacitado para ouvi-lo com clareza.

Assim, o que você deve ouvir quando está dando ouvidos a Deus? Uma voz persistente.

Desafios do capítulo

- Procure um tema ou padrão tanto em seu espírito quanto nas circunstâncias externas quando estiver discernindo a direção de Deus.
- Peça a Deus que o ajude a fazer a conexão entre as manifestações dele e suas circunstâncias.
- Conecte-se a uma igreja local e seja intencional no sentido de determinar como seus dons podem atender às necessidades do Corpo.
- Identifique um mentor temente a Deus cuja vida reflita um relacionamento profundo com Deus e possa lhe servir como um conselheiro sábio.

6
Ele se comunica de forma pessoal

> Eu lhe darei tesouros escondidos na escuridão,
> sim, riquezas secretas.
> Farei isso para que saiba que eu sou o Senhor,
> o Deus de Israel, que chama você pelo nome.
>
> Isaías 45.3

Fui ao cinema algumas noites atrás com minha prima. Ela é minha "parceira de filmes", sempre a fim de assistir a um filme tarde da noite. Depois de alimentarmos e colocarmos na cama suas quatro meninas e meus três meninos, conseguimos escapar para o cinema. Duas horas de entretenimento sem ter de pensar muito.

Na semana passada, assistimos a um filme que nos fez rir histericamente em muitas cenas, sobretudo quando um casal com oito filhos tentava controlar sua animada prole. O pai, intenso e direto, pelejava bravamente para conter alguns que corriam para cima e para baixo em uma escada na casa de alguém durante uma reunião. Enquanto tentava chamar a atenção deles, ele gaguejava ao dizer o nome dos filhos até que, por fim, desorientado, parou e perguntou à esposa: "Qual é o nome *daquele* ali?".

Nosso Pai *celestial*, por sua vez, não sofre desse problema. Ele não está procurando freneticamente seu nome no banco de memórias dele. Deus sabe exatamente quem você é, nunca o perde de vista e tem uma mensagem pessoal com seu nome nela.

Só para você.

Muitas vezes nas Escrituras, quando Deus falava com as pessoas, ele usava o nome próprio de cada uma e dava um jeito de se envolver na vida dela onde ela estivesse.

- Quando quis falar com um menino confuso servindo em seu templo, chamou a criança pelo nome: "Samuel! Samuel!" (1Sm 3.10).
- Quando quis chamar a atenção de uma mulher aos prantos à procura do corpo de seu Senhor crucificado, chamou-a pelo nome: "Maria!" (Jo 20.16).
- Quando quis mudar o rumo de um homem que viajava para Damasco com o intuito de perseguir cristãos, chamou-o pelo nome: "Saulo, Saulo" (At 9.4).

Ele sabia quem eram e onde estavam, assim como sabe esses mesmos detalhes sobre você. Ele *o* conhece. Pessoalmente.

Ele sabe, por exemplo, se você é um novo convertido ou um crente experiente. Sabe se você é teimoso ou mais sensível a suas manifestações sutis. Ele não o despreza nem o culpa por suas fraquezas quando está ouvindo a voz dele. Assim como fez com Samuel, com Maria, com Saulo, Deus vai ao seu encontro onde você está. Ele fala de uma maneira que sabe que você pode ouvi-lo.

Você não precisa de um diploma de seminário para isso. Não precisa de certificação em discernimento espiritual. Ei, nem mesmo precisa terminar a leitura deste livro (embora eu espere que faça isso!) para ouvir a palavra pessoal de Deus para você.

Por alguma razão, nós nos deixamos levar pela ideia de que Deus só fala com certas pessoas e apenas de maneiras que essa "elite" de santos pode entender. Mas até mesmo nos tempos bíblicos, parece que o oposto era verdadeiro. Jesus não usava uma linguagem típica de igreja que apenas um tipo específico de pessoa pudesse compreender. Como observa a autora Jan Johnson, "Jesus falava o aramaico do dia a dia, e o Novo Testamento foi escrito em grego *koiné* (ou comum, não clássico); então, hoje, Deus fala com você em uma linguagem do dia a dia". Jesus usava linguagem do dia a dia para se comunicar com pessoas comuns, enquanto os astutos religiosos e a elite social muitas vezes ficavam à margem.

Por favor, não tenha a sensação de que está sendo excluído enquanto Deus se comunica com as superestrelas dele e deixa você, eu e o resto de nós por nossa própria conta, fazendo o melhor que podemos. Ele não conta os fios de cabelo de sua cabeça sem razão. Não o conheceu antes de você nascer apenas para se esquecer de você agora. Levante-se com a certeza de que seu Deus e Pai tem algo distinto e intencional para compartilhar com *você* — bem aí em sua sala de estar, nas circunstâncias que você está vivendo no momento —, uma entrega especial de Alguém que não precisa esperar sua lista de Natal para saber o que você de fato precisa receber dele.

Quando fala, Deus encaminha sua mensagem pessoalmente. Ele está falando com *você*.

> Quando ele fala, é na linguagem de nossa vida pessoal, por meio de um versículo ou passagem das Escrituras que parece simplesmente saltar da página com nosso nome nele.
>
> ANNE GRAHAM LOTZ

Mesmo destino, direções diferentes

Hoje, sem dúvida, Deus fala conosco por meio do Espírito Santo, que habita em nós. Ele é nosso guia pessoal durante a jornada da vida, dando-nos instruções particulares pensadas especificamente para nossa situação. Conhece nossa fase atual de desenvolvimento espiritual e pode nos encontrar onde quer que estejamos na jornada da vida. Está plenamente ciente dos planos que tem em mente para nós e é digno de confiança para nos guiar de acordo com eles, instruindo-nos no caminho que devemos seguir.

O caminho que nós devemos seguir. Pessoalmente.

É claro que não estou dizendo que a verdade de Deus é relativa. Não existe esse negócio de *sua* verdade e *minha* verdade. Contudo, uma vez que o conhecimento de Deus a seu respeito e os planos que ele tem para você são extremamente pessoais, ele aplicará sua verdade a você de uma maneira tão única quanto são únicas as suas circunstâncias.

Portanto, a aplicação dos princípios de Deus em sua vida e na minha pode parecer extremamente diferente.

Certamente, a Bíblia contém muitas declarações e princípios que são claros e que se aplicam a todos os tempos, em todos os lugares, a todas as pessoas. Podemos tentar contornar essas verdades ou convencer a nós mesmos de que temos razão em fazer as coisas de maneira diferente no nosso caso em particular, mas... não. Não temos. Se a Palavra de Deus tem uma posição sobre um problema que você está enfrentando, realmente não há necessidade de desperdiçar seu tempo orando e jejuando a respeito ou buscando uma palavra pessoal de Deus sobre o problema. Você já recebeu a resposta de Deus sobre o assunto e precisa simplesmente seguir em frente. Nunca espere que o Espírito Santo fale algo para você que seja contrário ao que está escrito nas Escrituras. Você ficará esperando um longo e decepcionante tempo se fizer isso.

> *Nunca espere que o Espírito Santo fale algo para você que seja contrário ao que está escrito nas Escrituras.*

No entanto...

A Bíblia não trata expressamente de cada pergunta ou situação com a qual você talvez esteja lidando no momento. Quando você precisa decidir se deve se mudar ou ficar onde está, se deve aceitar aquela oferta de emprego ou continuar a procurar, se deve continuar a lecionar na escola dominical por mais um período ou se é hora de passar a responsabilidade para outra pessoa, você precisa da direção específica de Deus que é adaptada a você e à sua situação.

É aí que entra o incrível Espírito Santo de Deus. Você pode esperar que ele o guie pessoalmente porque ele se preocupa até mesmo com os detalhes mais insignificantes de sua vida e quer muito lhe dizer qual direção você deve tomar. Ele lhe dará uma convicção pessoal sobre essas questões enquanto utiliza a verdade de sua Palavra viva para falar especificamente à situação que você está enfrentando. Quando ele fizer isso, é importante que você tenha cuidado para não impor aos outros os padrões que Deus estabeleceu para *você*.

Como isso pode se dar? Para a mulher que ele está chamando a ser mãe em tempo integral, o Espírito Santo pode lhe dar uma convicção pessoal no sentido de não trabalhar fora de casa. Para o homem instruído a liderar um estudo bíblico, o Espírito pode limitar o tempo que ele passa assistindo à televisão ou se socializando para que possa se dedicar à preparação. Para a mulher que está sendo conduzida a dar aos filhos a educação escolar em casa, o Espírito a instruirá a não buscar opções de ensino mais comuns e tradicionais.

Ele até pode direcioná-lo a impor uma restrição *temporária* a si mesmo, como evitar certos alimentos por um tempo, certas experiências de compra ou certas opções de entretenimento — tudo por causa de um propósito específico que precisa realizar em você, algo para o qual o está especialmente preparando nessa fase atual da vida. Qualquer tipo de estímulo assim vindo do Espírito de Deus destina-se especificamente a você — a pessoa com quem ele está falando — para atender a *suas* necessidades, cuidar de *sua* família, orientar *sua* vida. E você deve confiar no que ele está lhe dizendo.

É pessoal.

É para você, individualmente.

Minha amiga Karen, por exemplo, é uma das mulheres mais tementes a Deus que conheço. Ela tem um relacionamento íntimo com o Senhor e ouve com atenção a voz do Espírito. Deseja ardentemente que o Senhor conduza suas escolhas e é fiel em permitir que ele faça isso. Por causa de suas convicções pessoais, ela segue um código de conduta que muitos considerariam desnecessariamente rígido.

Embora a modéstia da mulher seja de fato um mandamento claro nas Escrituras, isso se manifesta de maneira muito única na vida de Karen. Enquanto trabalha no ministério para evangelizar e discipular jovens imersas em uma determinada dinâmica de culto — que as proíbe de usar calças —, ela mesma se sente guiada pelo Senhor a não usar também. Para Karen, o princípio da modéstia exige que evite certos trajes para que sua capacidade de alcançar essas pessoas seja mais eficaz. Assim, mesmo quando está só conosco, suas amigas, ela permanece fiel a essa convicção pessoal.

Se usamos ou compramos algo que, embora não seja indecente, vai contra aquilo que o Espírito Santo permite pessoalmente que Karen use, ela é amável, educada e simpática. Não é farisaica em relação a isso. Não tenta impor suas convicções nem fazer que mudemos nossas preferências de roupa para lhe agradar. Não faz que nos sintamos horríveis por ceder a certas tendências populares (embora eu admita que às vezes olhamos umas para as outras e perguntamos: "Será que deveríamos realmente usar isso?"). Karen apenas sorri, faz-nos elogios pelo que estamos vestindo quando bem entende e responde humildemente à direção pessoal de Deus em sua vida.

A questão é que, embora não estejamos pecando ao usar essas roupas, *Karen* estaria — não porque há algo errado com as roupas em si, mas porque Deus lhe deu conselhos pessoais de que há algo errado com certos tipos de roupas para *ela*.

Quando ele lhe der uma mensagem pessoal — e ele fará isso! —, não cobre o mesmo dos outros, como se fosse uma declaração global que se aplica a todos os cristãos, como se você tivesse se tornado o guardião legalista da consciência de todos os outros. Isso é o que Deus está dizendo a *você*. É o que ele está exigindo de *você*.

É pessoal.

Como ele o é.

> Você não será criticado por fazer algo que, a seu ver, é bom.
> ROMANOS 14.16

Falando pessoalmente

Quando preciso dirigir de onde moramos até o centro de Dallas, pego a estrada principal, seguindo para o norte na rodovia 35. Acho que é o caminho mais eficiente e óbvio para qualquer pessoa. *E é* — para mim. Mas algumas pessoas que vivem em nossa região preferem uma rota diferente daquela que eu escolheria. Veja, o meu não é o único caminho que uma pessoa pode tomar a fim de chegar ao mesmo lugar. Um caminho ou método alternativo pode ser melhor para outra pessoa.

À medida que nos conduz por nossa jornada de vida ao seu lado, Deus delimita caminhos diferentes para cada um de nós dentro das diretrizes abrangentes das Escrituras, traçando um mapa individualizado para seguirmos. Outros podem não escolher nossa estrada — *e não devem* fazer isso se ela não estiver no mapa que lhes foi dado. Cada homem e cada mulher são responsáveis por seguir o Senhor segundo o caminho para o qual ele pessoalmente os guiou, rendendo-lhe glória e honra por meio da obediência a suas instruções. Cabe a nós não julgar os outros, mas dar a nossos irmãos na fé a liberdade de serem quem o Senhor os levou a ser, enquanto temos certeza de que estamos seguindo a liderança individual de Deus em nossa própria vida.

Portanto, quando receber uma palavra pessoal do Espírito de Deus, aceite-a. Aprecie-a. Considere-a um espaço no qual você tem a liberdade de seguir ao máximo a Deus e seus planos exclusivos para você. Mesmo que algumas pessoas tenham uma visão diferente — seja uma questão de disciplina na infância, aparência pessoal, uso de tecnologia ou estilo de adoração —, você não precisa se sentir compelido a fazer o que Deus está personalizando na vida dos outros. A opinião ou restrição deles não é sua, assim como sua opinião ou restrição não é deles. Devemos prestar contas apenas ao Senhor, aos limites das Escrituras e ao que ele pessoalmente exige de nós enquanto a aplica à nossa vida por meio de seu Espírito.

Tenho uma convicção pessoal, por exemplo, em relação ao consumo de álcool, ainda que Deus não nos instrua especificamente em nenhuma passagem da Bíblia que não devemos consumir bebidas alcoólicas. O único ensinamento incontestável sobre o assunto — ao qual todo cristão deve prestar contas — é que não devemos nos embriagar. Assim, mesmo sabendo que muitas pessoas tementes a Deus apreciem de maneira responsável um copo de vinho durante o jantar ou em um encontro social em que são servidas bebidas, eu sempre tenho uma sensação de convicção com relação ao seu consumo, então... eu simplesmente não bebo. O Senhor não me deu a liberdade de beber e ficar bem com isso.

Portanto, a liberdade de outras pessoas nessa área não é um sinal para que eu afrouxe minhas convicções, nem minha proibição pessoal em relação ao consumo de álcool tem o objetivo de limitar o que as pessoas à minha volta se sentem autorizadas a fazer sem culpa. Quando duas alternativas como essas se enquadram dentro do ensinamento geral das Escrituras, o Senhor pode orientar dois cristãos (que o amam de igual modo) em direções completamente opostas. Para um, sim; para outro, não; contudo, cada pessoa seguindo a palavra pessoal que Deus tem especificamente para ela.

Mas: "lembrem-se de que é pecado saber o que devem fazer e não fazê-lo" (Tg 4.17).

É aqui que a questão se torna *realmente* pessoal.

Quando você reconhece que o Espírito Santo lhe deu discernimento específico e direção sobre um assunto e sente que sua consciência está lhe dando a convicção para confirmar essa direção, mas, mesmo assim, você age deliberadamente contra ela — mesmo que seja algo sobre o que a Bíblia não é explícita —, você enfraquece e torna sua consciência insensível, pecando contra Deus. Mesmo que a questão pareça trivial, como comer mais do que deveria, escolher um tipo específico de trabalho, usar determinada roupa ou fazer compras em sua loja favorita, se o Espírito o está conduzindo a fazer (ou não fazer) algo específico, então submeta-se à palavra pessoal dele em sua vida. É a maneira que seu Pai tem de chamá-lo pelo nome, conduzindo-o na direção do destino que ele deseja *para você*. Ele o conhece tão bem e o ama tanto que traçou um caminho que é distintamente seu. Ele tem um propósito, uma razão, para guiá-lo por esse caminho.

Aceite-o como algo pessoal.

> Tu me mostrarás o caminho da vida
> e me darás a alegria de tua presença
> e o prazer de viver contigo para sempre.
>
> SALMOS 16.11

Deus é amor

Há outro aspecto importante da natureza pessoal da voz de Deus que eu gostaria de compartilhar com você por um instante. Uma das maneiras pelas quais Deus é mais íntimo e demonstra cuidado pessoal por seus filhos se dá pela revelação de seu grande e abundante amor. Quando uma mensagem ou voz interior que você está percebendo faz que se sinta condenado ou sobrecarregado por um manto de culpa, então ela provavelmente não é de Deus. Se a base da convicção que você está sentindo ou da direção que está percebendo é fruto de medo ou condenação, então pode ter certeza de que o inimigo está por trás disso.

Eu mesma já vi isso acontecer.

Quando fui para a faculdade, deixei para trás a vida sob a proteção de minha família cristã, escola e amigos, e entrei em outro mundo. Mas eu estava muito empolgada com a perspectiva de um estilo de vida novo e independente. Talvez empolgada um pouco além da conta. Logo me vi levando uma vida que sabia que não agradava ao Senhor. Consequentemente, mesmo encerrando meus anos de faculdade, o dia da formatura não deu fim a alguns dos pensamentos condenatórios com os quais continuei a lutar nos anos que se seguiram. Por mais conquistas que eu tivesse ou por mais longe que estivesse das escolhas ruins de meu passado, uma voz persistente em minha cabeça continuava a me encher de culpa.

Busquei o perdão de Deus da maneira mais fervorosa que conhecia, mas não consegui apagar completamente a tristeza e o arrependimento. Eram como nuvens escuras e carregadas pairando sobre minha cabeça, e poderiam aparecer a qualquer momento, fazendo-me tropeçar, empurrando-me para baixo.

Foi assim até que o Espírito me levou a este versículo reconfortante das Escrituras: "Eu, somente eu, por minha própria causa, apagarei seus pecados e nunca mais voltarei a pensar neles" (Is 43.25).

"... *nunca mais voltarei a pensar*..."

Com essas palavras amorosas, o Senhor deixou claro para mim que seu objetivo nunca é trazer culpa e condenação, fazendo que nos lembremos continuamente dos pecados do passado. Em vez disso, ele deseja trazer cura e restauração, perdoando nossos pecados e lançando-os no mar de seu esquecimento. O desejo de Deus é nos conduzir amorosamente à sua graça.

Ele nos guia para a frente, não para trás. E perceber essa verdade pode fazer grande diferença em nossa capacidade de discernir com precisão quando Deus está falando, em oposição a quando estamos sendo coagidos pelo inimigo, que astutamente (e muitas vezes de maneira muito eficaz) usa nossa culpa e vergonha como ferramenta para nos desviar do caminho.

> *Você saberá que o Espírito está falando pessoalmente sobre seu pecado quando a sensação que tiver não for o desespero, mas um novo desejo de santidade e pureza.*

Portanto, se a mensagem que você está ouvindo enquanto tenta discernir a vontade pessoal e o plano de vida que Deus tem para você for condenatória ou baseada no medo e na intimidação, fazendo que se sinta indigno ou incapaz, então essa não é a voz de Deus, que o ama. É a voz do inimigo, tentando usar sua vulnerabilidade para enganá-lo.

O caráter de Deus e seus propósitos para você estão definitivamente registrados nas Escrituras, e talvez nunca mais claramente do que desta maneira simples: "Deus é amor" (1Jo 4.8). Amor é quem ele é e o que o convida a experimentar com ele. Então, ao falar com você, ele pode *revelar* o pecado. Pode trazê-lo à luz para que você confesse e lide com esse pecado. Mas o objetivo de Deus ao fazer isso é purificá-lo e transformá-lo. Ele não quer que você aja movido por culpa ou medo de rejeição, mas sim por um relacionamento de amor com ele.

Ele sabe o que você fez. Ele o conhece pessoal e intimamente o suficiente para saber tudo a seu respeito, até mesmo o que ninguém mais sabe, nem mesmo as pessoas que o conhecem melhor. Mas, uma vez que "Deus é amor", ele não usará o que sabe contra você.

Ele o ama. Pessoalmente.

Então, vale a pena o tempo investido para considerar com cuidado a verdade daquilo que você está ouvindo. Ao reduzi-la à própria base, você sente a ternura e o amor de Deus? Ou, em vez disso, ouve o tom acusatório do inimigo de sua alma? Aprender a reconhecer a diferença entre a voz *condenatória* do inimigo e a voz de *convicção* de Deus é uma ótima ferramenta para determinar a direção de Deus em sua vida. *Condenar* significa considerar algo digno de punição. *Convencer* significa trazer algo à luz para corrigi-lo.

A voz do inimigo pode fazer que você sinta culpa sem meios claros de alívio. Nada além de peso e desespero, muitas vezes sem uma conexão específica com um pecado em particular. Apenas... algo solto ali. Aceite *isso*! Mas quando o Espírito trouxer convicção — o que muitas vezes é o propósito de sua mensagem pessoal para você —, ele também trará um mapa, um caminho de volta, uma saída. Ele não tem vontade de lhe dar uma surra e impedi-lo de se levantar novamente. Longe de querer prejudicá-lo, ele está iniciando liberdade e bênção em sua vida.

Com ele, não há "nenhuma condenação" (Rm 8.1). Nenhuma exposição ao ridículo.

Amor total. Amor por você.

Você saberá que o Espírito está falando pessoalmente sobre seu pecado quando a sensação que tiver não for o desespero, mas um novo desejo por santidade e pureza. Você saberá que é Deus quando ele o estiver chamando de volta para o lado dele, não o descartando como se fosse o lixo de ontem.

> O propósito da voz de condenação é afastá-lo da presença de Deus, que é a fonte de sua vitória. O propósito da voz de convicção é aproximá-lo do rosto de Cristo.
>
> BOB SORGE

Nenhuma condenação

Em João 8.1-11, encontramos a história de um grupo de escribas e fariseus (uma ramificação específica de legalistas judeus) que apanharam uma mulher em adultério. Arrastando-a à força para a área do templo onde Jesus estava ensinando, eles esperavam expor publicamente o pecado dela e colocar Jesus em uma situação embaraçosa.

Como essa mulher deve ter se sentido? Imagine alguém agarrando você pela nuca em um momento de fraqueza e pecado e arrastando-o dali para um estudo bíblico na igreja onde alguns de seus melhores amigos estivessem reunidos.

Esses homens não tinham o desejo de ajudar essa mulher a abandonar o estilo de vida pecaminoso dela nem de buscar a restauração para uma vida perdida por causa de desejos impróprios. O objetivo deles ao usar aquela mulher era expô-la, envergonhá-la e desonrá-la, desabonando Jesus no processo.

Esse é também o objetivo de Satanás, ainda hoje. Ainda conosco. Você consegue ouvi-lo mesmo agora?

Do que ele tem o acusado ultimamente?

Mas veja como a história mudou completamente quando Jesus se envolveu na situação. Com a multidão exigindo que a lei de Moisés fosse cumprida e ansiosa para ver o que Jesus faria, ele disse diante de todos: "Aquele de vocês que nunca pecou atire a primeira pedra" (v. 7).

Silêncio absoluto.

Os acusadores perceberam que não estavam aptos. Nenhum deles. Um por um, eles se afastaram.

O único que tinha o direito de repreendê-la publicamente e tirar-lhe a vida era aquele que estava falando — aquele que conhecia pessoalmente até mesmo *essa* mulher. Essa mulher vil... adúltera... culpada. Mas, mesmo conhecendo-a como a conhecia, ele não atirou a pedra.

Você ouviu o que acabei de dizer?

Ele *não* atirou a pedra.

Peço que você guarde essa verdade bem no fundo de seu coração, para que possa reconhecer com mais clareza a voz de Deus falando pessoalmente com você. Somente ele tem o direito de condená-lo pelo que você fez — por *tudo* o que você fez —, no entanto, em vez disso, preferiu lhe conceder graça a despeito de tudo. Não atirou pedras naquele momento, e não atira agora.

"Onde estão seus acusadores?", perguntou à mulher naquele dia. "Nenhum deles a condenou?"

Ela respondeu: "Não, Senhor". E Jesus disse: "Eu também não a condeno. Vá e não peque mais" (v. 10-11).

Ele não ignorou o pecado da mulher. Não inventou pretextos para ele. Simplesmente não a condenou por ele. A voz de Deus nos *convencerá* — apontará nosso pecado —, mas ele também expressará seu amor por nós. Não nos *condenará* nem nos sobrecarregará com culpa. Pelo contrário, Deus nos oferecerá graça suficiente para deixarmos nosso pecado para trás e continuarmos na retidão.

> *O caráter de Deus se sobressairá quando ele falar com você. Se não acontecer isso, não é a voz dele.*

Assim, toda vez que sinto a dor das "pedras" sendo lançadas contra mim, logo percebo que não vêm de meu amoroso Pai celestial. Ele me convence, mas não me condena. Como sei disso? Porque sei de onde vem a condenação. E você também sabe.

Então, não dê ouvidos a ela.

Jesus Cristo suportou de uma vez por todas na cruz o castigo pelos pecados que você cometeu. Portanto, quando Deus falar com você agora, suas palavras não serão de julgamento. Podem revelar suas falhas para que você reconheça seus pecados, especialmente aqueles que nem percebia que estava cometendo. Mas ele atenuará essa revelação com sua graça, seu amor e (a maior das maravilhas) suas segundas chances. Enquanto a condenação aponta um problema apenas para julgá-lo e fazê-lo se sentir culpado, as palavras pessoais reconfortantes de convicção de Deus lhe oferecem um remédio, uma esperança e um caminho à frente.

Você reconhecerá a voz de Deus pelo tom amoroso e pessoal dela.

Portanto, quando estiver tentando saber se está ouvindo a voz de Deus, sempre considere a "Paternidade" dele. As Escrituras descrevem a imagem de um Deus que o amou tanto que deu a vida de seu único Filho para eliminar cada centímetro de separação entre vocês. O objetivo dele para você desde o início dos tempos tem sido que você desfrute de uma comunhão próxima, íntima e amorosa com ele. Relacionamento pessoal. É assim que ele deseja que você o conheça.

É assim que ele o conhece.

O caráter de Deus se sobressairá quando ele falar com você. Se não acontecer isso, não é a voz dele. Mas quando acontecer — seja para convencê-lo, aconselhá-lo ou chamá-lo a determinada conclusão em relação a um assunto específico em sua vida —, aproxime-se dele com o coração ansioso por fazer o que ele está lhe dizendo.

Como Samuel (veja 1Sm 3), diga-lhe: "Fala, Senhor, pois teu servo está ouvindo".

E espere que ele lhe responda.

Pessoalmente.

Desafios do capítulo

- Tenha sempre em mente que Deus sabe onde você está em sua jornada com ele, entende suas fraquezas e inclinações e, ainda assim, pode falar pessoalmente com você.
- Seja enfático com relação à sua obediência às direções de Deus ao mesmo tempo que toma o cuidado de não impor aos outros suas convicções pessoais.
- Não permita que as convicções de outras pessoas influenciem suas decisões ou façam que você se sinta culpado com relação às liberdades que o Senhor lhe concedeu.
- Ao discernir a direção de Deus, considere se o que você está sentindo se baseia em medo, culpa ou intimidação, ou se a base desse sentimento é o amor, cuidado e preocupação de seu Pai amoroso.

7
Ele traz paz

Eu lhes falei tudo isso para que tenham paz em mim.

João 16.33

Não fazia sentido. Mudar de um bairro de classe média em uma área elegante e luxuosa para uma comunidade urbana conhecida por coisas que, em geral, tentaríamos evitar era um absurdo.

Mas eles se mudaram mesmo assim.

Esse casal jovem e bem-sucedido havia ascendido profissionalmente. Quando os dois começaram sua família, tinham aspirações claras para o estilo de vida que desejavam. E embora soubessem que não poderiam planejar todos os detalhes de seu futuro brilhante, nenhuma versão da história que escreveram havia incluído isso.

Mas Deus havia falado. Primeiro com ele e, em seguida, lentamente, aos poucos, com ela. Com o tempo, o Espírito de Deus tornou o chamado dele completamente claro. Eles deveriam abrir mão da vida como a tinham conhecido e planejado e começar a ministrar às pessoas na cidade. E não deveriam fazer isso apenas durante o dia e depois escapar para seu refúgio à noite. Deveriam viver entre aqueles a quem foram chamados a servir.

Todos os tipos de sinais vermelhos e objeções surgiram, mas, apesar de tudo, tinham algo a seu favor — algo que pode levar um homem ou mulher de Deus a perseverar contra qualquer dificuldade e crítica.

Eles sabiam — graças às constantes confirmações por meio da Palavra escrita de Deus e às circunstâncias que corroboravam suas decisões — que haviam ouvido a voz do Senhor.

E, assim, sentiram *paz*.

Então, a despeito dos pessimistas, essa família avançou com fé e obediência, esperando ver a atividade sobrenatural de Deus em ação. E, hoje, o ministério deles tem tido um impacto profundo em centenas de famílias cujo futuro foi transformado porque um casal decidiu ouvir a Palavra de Deus e obedecer a ela.

A paz de Deus faz toda a diferença.

Nos dias e horas que antecederam a ida de Jesus para a cruz, ele consolou seus discípulos, dizendo-lhes que não os deixaria sem orientação ou direção depois de partir. E lhes prometeu sua *paz* — uma promessa permanente e tranquila que nenhum obstáculo ou oposição poderia diminuir ou destruir, uma paz que nenhum inimigo poderia tocar, pois repousaria profundamente no coração deles, fechada à chave na alma.

"Eu lhes deixo um presente", disse-lhes, "a minha plena paz. E essa paz que eu lhes dou é um presente que o mundo não pode dar. Portanto, não se aflijam nem tenham medo" (Jo 14.27). Em um momento em que tudo o que se via entre seus seguidores eram raiva, frustração e morte, Jesus estava assegurando a seus discípulos que, com a paz *verdadeira* — *sua* paz —, até mesmo as circunstâncias mais terríveis não poderiam interferir na serenidade deles. "Aqui no mundo vocês terão aflições, mas animem-se, pois eu venci o mundo" (Jo 16.33).

Na verdade, Jesus estava tão focado na paz que as primeiras palavras que disse a seus seguidores, poucas horas após sua ressurreição, foram estas: "Paz seja com vocês!" (Jo 20.19). Mostrando-lhes suas mãos e pés perfurados, ele repetiu: "Paz seja com vocês!" (v. 21). Com essas palavras de bênção e reconforto ainda a soar nos ouvidos dos discípulos, as Escrituras afirmam que Jesus então "soprou" sobre eles, concedendo-lhes o presente da paz por meio da pessoa do Espírito Santo (v. 22). A consolação interna e inabalável de Deus seria nesse momento a companhia constante deles.

Eles deveriam reconhecê-lo por sua paz.

E nós também.

E você também.

Quando fala, Deus não apenas é persistente, falando em seu íntimo e confirmando no exterior a palavra que lhe está comunicando; ele não apenas é *pessoal*, mas também causa o efeito cumulativo dessas características para liberar em sua alma uma *certeza cheia de paz* — uma paz que você pode sentir profundamente, mesmo quando só há caos ao seu redor. Como uma âncora que mantém um navio estável, a paz de Deus dá segurança. É uma paz que não vacila por alguns segundos e depois evapora no ar rarefeito, mas uma paz que se recusa a desaparecer, horas depois, dias depois, meses depois — mesmo quando o caminho à frente está bloqueado por todo tipo de desafios, riscos e perigos, e mesmo se você preferir não seguir na direção para a qual ele está apontando. Nosso coração, à própria mercê, pode tremer, hesitar e, por fim, falhar, mas a paz do Espírito nos tranquiliza e fortalece, dando-nos confiança para realizar a tarefa que ele nos está enviando para realizar.

Você deparará com muitas coisas na vida para as quais parecerá despreparado — encaremos os fatos: tanto você quanto eu *estaremos* despreparados para lidar com elas —, talvez uma nova oportunidade, talvez uma provação inesperada. No entanto, terá a sensação de que Deus o está conduzindo a fazer algo específico no meio disso. Isso o assusta, talvez porque não sabe fazê-lo. Talvez outros pensem que você está louco até mesmo por considerar a linha de ação

> *A paz não é apenas um elemento do caráter de Deus; é prova de sua presença.*

que Deus o está levando a seguir. Talvez lamentem por você ter de suportar algo tão difícil. Mas como um sinal certo da graça, amor e misericórdia de Deus, ele lhe dá... sua paz. Uma amostra da atividade sobrenatural que ele está preparando para você experimentar.

Quando você tem a paz de Deus em relação a uma situação específica — aquela que não contradiz os preceitos de sua Palavra escrita e tem sido continuamente fortalecida pela "misericórdia da confirmação" —, deve começar a considerar que está ouvindo a voz dele.

> Paz e verdade são o grande tema da revelação divina [...], a verdade para nos guiar, a paz para nos tranquilizar.
>
> Matthew Henry

A paz governa

"Paz" é um daqueles conceitos que nos chegam envoltos em todos os tipos de embalagem cultural. A "paz" pode ter um toque leve, sonhador, nostálgico. Mas quando falamos sobre a paz de Deus, não pense em pessoas cantando, movendo-se e dando as mãos em um círculo. A paz de Deus é forte, intensa, palpável, verdadeira. É possível sentir sua presença estável dando-lhe segurança interior a despeito de circunstâncias inseguras.

E ela é nossa.

Comprada pelo sangue e sofrimento de Cristo.

Quando você o aceitou como seu Senhor e Salvador, a paz estava entre os grandes presentes que recebeu do próprio Deus, de *Javé Shalom* (o Senhor é Paz). E à medida que você desenvolve seu relacionamento com Deus, aprendendo a ouvir a voz dele e a responder em obediência, a paz se torna um de seus fatores determinantes para saber quando ele o está guiando e falando com você. A paz não é apenas um elemento do caráter de Deus; é prova de sua presença. Assim, mesmo quando ele lhe pede para dar um passo de fé, fazendo algo que parece impossível ou ilógico, a paz de Deus segue junto como sua companheira de viagem. Você talvez não se sinta confiante em sua própria capacidade de fazer o que ele está pedindo. Talvez não seja capaz de ver o resultado que isso produzirá nem os detalhes de como chegar lá. Mas você se sente confiante na Palavra de Deus que ele tem confirmado com insistência, e isso será suficiente.

Você sentirá uma paz nesse sentido.

Pense nisso como se estivesse recebendo um "sinal verde".

Você já se viu em um cruzamento onde os semáforos não estavam funcionando, talvez com a luz vermelha ou amarela piscando? Como se sentiu ao avançar lentamente em direção aos carros que se aproximavam, sabendo que o sinal acima de sua cabeça estava indicando precaução e muita atenção? Mas se esse mesmo sinal de trânsito mudasse para um verde contínuo, você teria confiança em seguir a indicação do semáforo.

Você teria paz em relação a isso.

O mesmo acontece no que diz respeito a ouvir a voz de Deus. Ao perceber a direção dele, pergunte a si mesmo: "Estou recebendo um 'sinal verde' em meu espírito? Estou confiante e em paz para avançar, *mesmo* não gostando do que estou sendo induzido a fazer? Ou, em vez disso, fico impaciente e hesitante, sem saber ao certo o que essas direções estão me dizendo?". Lembre-se de que é imperativo que tenha tempo para fazer a distinção entre o que você poderia pensar sobre sua habilidade, suas preferências ou o resultado da situação, e aquilo em que acredita sobre Deus e a Palavra dele. Quando Deus falar, você pode não sentir uma estabilidade serena em relação a si mesmo ou a suas circunstâncias, mas sentirá uma certeza acerca da palavra de Deus para você e dos benefícios de ser obediente a ela. Portanto, é possível não gostar daquilo que você tem certeza de que Deus lhe pediu para fazer nem se importar com isso. Nesse caso, siga em frente em obediência e dependência do Senhor.

> *Quando Deus falar, você sentirá uma certeza acerca da palavra dele para você e dos benefícios de ser obediente a ela.*

Se é Deus falando, você sentirá paz no que ele ordenou a despeito do que está por vir.

Na cidade de Colossos, mencionada no Novo Testamento, os cristãos enfrentavam dificuldades com decisões sobre como seguir a vontade de Deus no sentido de manter a igreja forte. Às vezes, surgia um problema de pecado e eles não sabiam lidar com isso; às vezes, eram tentados a tratar uns aos outros de maneira diferente por causa de suas origens étnicas; e, às vezes, surgiam pessoas com todo tipo de ideias estranhas sobre como deveria ser a verdadeira espiritualidade e como os colossenses deveriam agir. Para ajudá-los, Paulo disse: "Permitam que a paz de Cristo governe o seu coração, pois, como membros do mesmo corpo, vocês são chamados a viver em paz" (Cl 3.15). A palavra grega usada para "governar" é relevante aqui. Significa agir como juiz ou árbitro. Então, Paulo estava dizendo à igreja que, da mesma forma que um árbitro de futebol de nosso tempo conduz um jogo de acordo com as regras, o Espírito Santo deveria servir como o "árbitro do coração deles", e os colossenses deveriam tomar decisões de acordo com os apelos de Deus. Cristo queria que os colossenses fossem comprometidos e governados pela certeza dada ou não dada por seu Espírito enquanto buscavam discernir a vontade de Deus. Em outras palavras, a paz de Cristo não deveria ser apenas uma parte da vida deles; ela deveria governá-los, orientá-los e reger tudo o que fizessem.

Quando a paz reinar em uma questão com a qual estiver lidando — quando a voz de Deus for acompanhada por uma profunda certeza e permissão —, preste muita atenção no que está ouvindo e sentindo. Talvez você esteja lidando com uma decisão sobre uma oferta de emprego em outra cidade, ou um funcionário que precisa contratar. Talvez esteja tentando decidir qual empreiteiro contratar para algumas reformas em sua casa ou como conversar com um amigo que, ao que parece, está inclinado a pecar. Talvez seja uma mudança completa de carreira para algo em que você já havia pensado, mas nunca se sentiu liberado para de fato levar adiante. Talvez seja uma posição ministerial para a qual você admite não se sentir apto, mas acredita que é possível que Deus o esteja levando a aceitar, ou quem sabe seja uma compra importante que tem estudado e examinado. Poderia ser uma infinidade de coisas.

Veja qual opção é acompanhada por uma estabilidade firme, sólida e envolvente com raízes profundas, a despeito das dificuldades que você possa enfrentar se seguir em frente.

Eu gostaria de ter certeza de que estou sendo clara sobre este fato: como cristãos, nunca podemos perder a paz dada por Deus que acompanha nossa salvação. Ela é nossa para sempre, perpetuamente.

Mas, no dia a dia de nossa vida, o Espírito está nos chamando o tempo todo para muitas coisas que podemos ouvir e perceber em nosso espírito. Se estivermos contemplando algo que não está agradando a Deus, a paz dele não governará. Se estivermos seguindo por um caminho — na vida, com os filhos, no casamento, nos negócios — e estivermos nos desviando, *mesmo que por acidente*, do caminho que ele estabeleceu para nós, sua paz não governará. Se estivermos avançando de forma prematura e antes do tempo, sua paz não governará. Mesmo com a paz absoluta em Cristo em relação ao nosso relacionamento com ele como filho ou filha, não teremos, naquele momento, paz em termos dessa circunstância em particular.

Não dê muita importância àquelas decisões e planos que o Espírito rejeita. Ele o está afastando de um precipício que oferece um perigo espiritual, financeiro ou relacional. Ele o está empurrando para longe de uma experiência que você imagina desejar, mas que está longe do que ele tem em mente para você se simplesmente aguentar firme e esperar que a palavra dele seja confirmada, dando-lhe a paz para seguir em frente. (Às vezes, é claro, não há tempo para indecisões, e você é obrigado a tomar uma decisão imediata sobre um assunto importante. Discutiremos esses tipos de questões urgentes em um capítulo mais adiante.)

Então, quando você sentir uma batalha entre vontades se travando em seu coração — uma inquietude que o faz pensar duas vezes sobre algo (às vezes, a necessidade de obter muitas opiniões pode ser um indicador dessa inquietação) —, esse é o momento de pôr em prática o primeiro dos "cinco Ms". Procure a *mensagem* do Espírito. Tente sintonizar no sinal da paz de Deus. Veja se o encontra. Descubra se Deus está transmitindo a segurança e a confiança que se manifestam por meio de seus pensamentos, vontades e emoções, e até mesmo de seus sentidos físicos. Se você realmente não sabe ao certo o que fazer, isso por si só provavelmente já é suficiente para dizer que ainda não deve fazer nada.

Em se tratando de discernir a voz de Deus, lembre-se sempre...

A paz governa.

> Um senso predominante da paz de Deus confirma sua voz para mim. Pode ter havido tumulto para se chegar a essa paz, mas, quando decido pelo que ele deseja para mim, tenho a certeza disso por meio da paz que acompanha esse desejo.
>
> KAY ARTHUR

A paz se relaciona

O indicador da paz não é apenas bom para indivíduos que desejam discernir a vontade de Deus, mas também para o Corpo coletivo de Cristo. Além de ter o coração cheio de uma paz interior enquanto Deus o conduz no sentido de escolher opções e tomar decisões, espere também que a voz de Deus o conduza a relacionamentos pacíficos com os outros. Ao procurar discernir o que ele lhe está dizendo, cuide para não seguir qualquer inclinação que venha a causar divisão ou impedir o crescimento espiritual de um irmão na fé.

Aqui está um bom exemplo disso. Na faculdade, eu fazia parte de uma maravilhosa associação cristã de mulheres, cujo objetivo era oferecer uma alternativa para as jovens que não queriam se envolver em organizações seculares desse tipo. E eu gostava muito do tempo que passava nesse grupo. Boas amigas. Boas experiências.

Mas decidi que queria fazer parte de outra associação de mulheres no *campus*. E não vi motivo para que essa decisão fosse de mais alguém além de mim. Eu sabia que muitas das meninas de nossa associação cristã acreditavam sinceramente que se juntar a uma mais tradicional não seria do agrado de Deus. Mas eu acreditava que o Senhor me tinha dado a liberdade para fazer isso.

Então, foi o que fiz.

Deixe-me apenas dizer que o efeito de minha decisão sobre as meninas de meu clube social cristão foi... significativo. Sentimentos foram feridos. Surgiram perguntas. Preocupações foram expressas. Fiquei totalmente surpresa com a reação delas. A pior parte foi que muitas das meninas eram novas convertidas, e essas foram as que mais lutaram para entender o que eu havia feito.

Na época, eu realmente não entendi. Mas olhando para trás depois de anos, e felizmente com um pouco mais de sabedoria, agora percebo o problema. Embora Deus de fato tivesse me concedido liberdade pessoal naquela área específica, minha decisão de exercer essa liberdade havia levado outros cristãos a tropeçarem. Eu deveria ter reconhecido a discórdia que minhas ações causariam e considerado isso um sinal para não avançar.

O apóstolo Paulo tratou dessa questão no livro de Romanos ao lidar com uma das questões mais contenciosas na igreja primitiva: se era ou não aceitável que os cristãos comessem alimentos que haviam

> *Este é o propósito por trás do desafio proposto por Deus: colocar-nos na posição de ver a obra miraculosa de seu poder operando em nossa fragilidade.*

sido oferecidos a ídolos. Paulo ensinou que os cristãos tinham a liberdade de seguir sua própria consciência nessa questão, mas também apontou para uma questão mais profunda:

> Portanto, tenhamos como alvo a harmonia e procuremos edificar uns aos outros. Não destruam a obra de Deus por causa da comida. Embora todos os alimentos sejam aceitáveis, é errado comer algo que leve alguém a tropeçar. É melhor deixar de comer carne, ou de beber vinho, ou de fazer qualquer outra coisa que leve um irmão a tropeçar.
>
> Romanos 14.19-21

Seu relacionamento com familiares, amigos, membros da igreja e colegas de trabalho é mais do que uma simples afinidade natural, mais do que apenas pessoas com as quais convive. Esses irmãos na fé, especialmente aqueles que são mais próximos e mais queridos, lhe foram confiados. Você tem uma responsabilidade para com eles. Portanto, antes de "fazer qualquer outra coisa", como disse Paulo, pense em como suas ações irão afetá-los, porque buscar a paz e edificar uns aos outros é muito mais importante do que suas liberdades pessoais.

Agora, eu gostaria de ter certeza de que você não entenderá algo que muitas vezes é mal-interpretado quando surge esse assunto. Não estou dizendo que você deve fazer apenas aquilo que as pessoas aprovam. Se não tomar cuidado, o inimigo pode transformar uma preocupação legítima visando edificar seus irmãos na fé em uma forma de escravidão. Se não estiver sendo capaz de discernir, a constante pressão de se preocupar com como suas decisões e estilo de vida afetarão os outros pode impedi-lo de desfrutar das liberdades que lhe foram legitimamente dadas por Deus.

Assim, a ideia de não ser a causa de outro cristão "tropeçar" é um elemento importante no sentido de colocar isso em prática. Para que uma pessoa tropece, ela primeiro tem de estar em movimento, certo? Mover-se é um pré-requisito para que o tropeço ocorra. Portanto, em relação a essa discussão, aquilo com o que você precisa se preocupar mais não é a sociedade em geral, nem mesmo outros cristãos que apenas praticam a fé nominalmente. Sua preocupação deve ser a de não impedir o progresso de outros cristãos que estão *se movendo* — que estão crescendo espiritualmente em um relacionamento dinâmico com Cristo.

> *O Espírito Santo não nos levará a fazer algo que, de algum modo, prejudique a paz e a unidade no Corpo.*

Esses são os tipos de pessoas que fizeram mais do que simplesmente aceitar Cristo como Salvador. Elas claramente demonstraram que estão em uma jornada com Deus, avançando em seu relacionamento — sedentas, crescendo e indo para o próximo nível. Essas pessoas eram as jovens de minha associação cristã, garotas que amavam o Senhor e estavam verdadeiramente buscando a ele. Para mim, juntar-me a um clube secular, sabendo que isso era um dilema que elas estavam enfrentando, mostrou uma desconsideração pelo progresso espiritual delas e egoísmo em meu próprio coração em relação a esse assunto em particular. Tornei-me uma pedra de tropeço para elas, porque minha decisão contribuiu para abalar sua fé jovem e ativa e sua confiança em Deus.

Uma coisa pequena? Talvez. Mas causou dano e não honrou a Cristo.

Não foi edificado sobre a paz.

Relacionamentos pacíficos são de vital importância para Deus. Portanto, podemos concluir que o Espírito Santo não nos levará a fazer algo que, de algum modo, prejudique a paz e a unidade no Corpo. Isso não significa que todos concordarão com o que você está fazendo, mas significa que sua decisão não fará que outro cristão tropece nem trará uma enorme divisão dentro do Corpo de Cristo.

A voz de Deus fala a linguagem da paz.

Portanto, quando ele abrir seus olhos para ver que aquilo que você está prestes a fazer fará mal a outro seguidor de Cristo, o que ele está lhe dizendo é: "Agora, não!". Isso não significa que você perdeu sua liberdade totalmente ou para sempre. Você simplesmente não deve exercê-la nem desfrutá-la naquele momento. Impedir que um irmão na fé tropece é mais importante do que sua liberdade pessoal.

Aqui está a pergunta que você deve fazer a si mesmo: "Eu sei que há alguns que podem não concordar comigo, mas, se eu fizer isso, há alguém cujo crescimento espiritual será prejudicado por causa da minha escolha?". Se houver, então escolha sabiamente renunciar à sua liberdade por enquanto. Incentive o crescimento espiritual dessa pessoa.

É a coisa pacífica que se deve fazer, e Deus o honrará por fazer isso.

> Mas a sabedoria que vem do alto é, antes de tudo, pura. Também é pacífica, sempre amável e disposta a ceder a outros. É cheia de misericórdia e é o fruto de boas obras. Não mostra favoritismo e é sempre sincera. E aqueles que são pacificadores plantarão sementes de paz e ajuntarão uma colheita de justiça.
>
> TIAGO 3.17-18

Vá em paz

Uma guerra civil trava-se dentro de nós à medida que as partes ainda não santificadas de nossa alma lutam para satisfazer os desejos da carne. Os incrédulos, sem dúvida, não conseguem se controlar. Enquanto permanecerem resistentes a Cristo e fora da aliança redentora dele, eles sempre estarão em guerra consigo mesmos e, por fim, carecerão da paz que só Deus pode dar.

Mas nós, os que cremos em Cristo, podemos ouvir a voz do Espírito Santo ecoando dentro de nós, guiando-nos por meio de sua paz e chamando-nos à paz com nossos irmãos e irmãs.

Paz interior. Paz exterior.

Você saberá que é a voz de Deus quando a palavra persistente e pessoal dele para você deixá-lo com uma sensação de paz e certeza em todos os sentidos.

Desafios do capítulo

- Ao determinar a vontade de Deus, peça a ele uma confirmação que leve a uma sensação interna de paz.
- Se possível, resista à vontade de avançar prematuramente quando lhe faltar uma certeza cheia de paz.
- Você pode sentir confiança na palavra de Deus sem estar confiante em sua habilidade ou suas circunstâncias. Cuidado para diferenciar um do outro.
- As direções de Deus não o incentivarão a fazer algo que leve outro cristão a tropeçar ou cause divisão desnecessária.

8
Ele o desafiará

Mas a porta para a vida é estreita, e o caminho é difícil.

MATEUS 7.14

Meu filho olhava fixamente para o casulo pendurado em um arbusto ao lado de nossa casa. Fazia dias que estava observando a estrutura minúscula, procurando mudanças e atividades, esperando ansiosamente o momento em que a mariposa, por fim, emergisse.

Parecia que hoje seria o grande dia.

O casulo balançava e tremia enquanto observávamos o esforço do pequeno inseto para se libertar das restrições de sua concha de seda. Fascinante.

Após o que parecia uma eternidade (dez minutos), ele começou a ficar frustrado e impaciente, esperando o processo de eclosão ser concluído, e implorou para que eu fizesse algo para ajudar essa coisinha a sair.

Eu estava tão empolgada com o casulo, uma vez que era uma oportunidade de dar a Jackson uma lição em primeira mão sobre a natureza. Mas estava ainda mais empolgada agora que havia surgido esse momento de aprendizagem, a oportunidade de dar ao meu filho uma lição em primeira mão sobre a vida — uma lição que me sensibilizou também, mesmo enquanto falava.

— Veja, filho, é importante que a mariposa se esforce assim, ou ela nunca será capaz de atingir seu pleno potencial — eu lhe disse.

— A menos que se fortaleça lutando para sair do casulo, ela nunca desenvolverá aquela bela envergadura de asas nem a força nas pernas para sobreviver. Se sair muito cedo, sem lutar, ficará aleijada pelo resto da vida.

O desafio faz parte do plano.

Sabíamos disso, não é?

Ou quem sabe nos esquecemos. Ou não quiséssemos admitir. Mas, uma vez que o objetivo de nosso Pai celestial é nos ajudar a alcançar nosso pleno potencial espiritual como pessoas que creem em Cristo, também seremos muitas vezes desafiados pelas coisas que ele nos chama a fazer.

Às vezes, desafiados *de verdade*.

E não será um erro ou um contratempo divino. Será proposital.

Esse é o histórico consagrado de Deus pelo tempo. Ele sempre chamou pessoas de lugares improváveis, pedindo-lhes que fizessem coisas muito além de suas habilidades, muito além do que se sentiam preparadas para fazer. Na verdade, se quisermos ser realmente honestos nesse sentido, esse padrão parece ser a maneira mais consistente de caracterizar a voz de Deus nas Escrituras. Inúmeras vezes, ele lançou um desafio.

Quando Deus falou...

- Noé foi solicitado a construir uma arca.
- Abraão foi solicitado a deixar sua casa rumo a uma terra desconhecida.
- Gideão foi solicitado a ir para a batalha com tropas insuficientes.
- Samuel foi solicitado a entregar uma mensagem difícil a Eli, seu mentor.
- Ester foi solicitada a pleitear o caso em favor de seu povo perante um rei.
- Maria foi solicitada a se tornar a mãe do Messias.

Eu poderia continuar, mas, por algum motivo, não acho que seja necessário. Tenho certeza de que você está indo muito bem ao preencher as lacunas exatamente aí onde está sentado, criando imagens mentais a partir de sua própria experiência pessoal — momentos em que a tarefa que Deus colocou à sua frente fez que você ficasse completamente alarmado. Não havia como realizar, com suas próprias forças, o que ele estava pedindo para você fazer. Assim, talvez você tenha tentado evitá-lo ou pensado que não poderia ser Deus quando ele sabe muito bem que *você* não tem o que é preciso para levar *isso* até o fim. Não é verdade?

Nem tanto. Esse é o método de Deus. Colocar tarefas extraordinárias nas mãos de pessoas comuns para que pessoas comuns possam ver o que um Deus extraordinário pode fazer por meio delas.

Os propósitos de Deus são sempre superiores aos nossos. Vão além de nossas habilidades naturais e processos mentais. Sim, o que ele está lhe dizendo pode parecer impossível. Mas se você apenas o seguir, obedecendo-lhe de um modo impressionado e submisso e saindo de sua bela zona de conforto, descobrirá que está deixando para trás o domínio de suas habilidades naturais e entrando no domínio de suas habilidades sobrenaturais.

Então, qual será sua escolha?

Aceita o desafio?

> Se o que você percebe de Deus nunca contém nada que o surpreenda, é provável que tudo não passe de invenção sua.
>
> JAN JOHNSON

Em meio a muitos perigos

Tenho de ser honesta com você: essa característica da voz de Deus tornou-se a principal maneira pela qual reconheço sua direção em minha vida. Tem sido um padrão na forma como ele me trata. Quando olho para trás e vejo para onde ele me levou no ministério, cada etapa foi consolidada sobre uma mensagem desafiadora de Deus após outra. Em cada momento em que nosso ministério avançava para outro nível, havia uma ponte sólida de desafios que tínhamos de transpor para chegar lá. Na maioria das vezes, tive medo e senti-me muito intimidada pelo que o Senhor estava me pedindo para fazer. Mas, quando avancei, muitas vezes apenas com o incentivo de meu marido ou de outros amigos tementes a Deus, fiquei surpresa com o resultado e com o que aprendi no processo. Aprendi — e ainda estou aprendendo — que quando me vejo em situações como essas, o simples fato de ser solicitada a realizar algo além de minha capacidade natural muitas vezes é meu sinal para avançar. Mas aqui está a questão: toda vez que simplesmente cooperei com ele, ele nunca deixou de aparecer no momento certo, dando-me exatamente aquilo de que preciso. Nem sempre concordo com seus planos no início, mas estou aprendendo a confiar nele mesmo assim.

Vou lhe contar onde muitas vezes tenho percebido essa realidade de maneira mais intensa. Como alguém que faz muitas palestras públicas, sou meticulosa em relação à preparação que realizo. Por meio de muita oração e estudo, sinto que tenho uma boa compreensão do que uma audiência em particular precisa ouvir. Então, quando chego a um compromisso, pronta para ministrar, estou totalmente ciente do que será minha mensagem.

> *Este é o propósito por trás do desafio proposto por Deus: colocar-nos na posição de ver a obra miraculosa de seu poder operando em nossa fragilidade.*

No entanto, aprendi a não contar a ninguém de antemão sobre o que estou planejando falar, porque mais de uma vez o Senhor decidiu mudar as coisas. Horas antes, às vezes *minutos* antes de estar pronta para subir ao púlpito, ele me impressiona com a necessidade de falar sobre um tema completamente diferente. Com base no que Deus tem realizado no evento, ele me leva a uma direção diferente da que eu havia planejado seguir.

Uau, isso é assustador. Como se eu já não estivesse nervosa o suficiente por estar diante de centenas ou milhares de pessoas, esperando me lembrar de tudo que preparei para dizer, agora estou sendo instruída, por meio daquela voz interior, daquele impulso interior do Espírito de Deus, a basicamente subir lá e improvisar.

Mas posso testemunhar a você, por experiência própria, que toda vez que respondi a essa inclinação do Espírito Santo, toda vez que me lancei de cabeça em seu poder e unção, a situação não foi confortável, mas as palavras vieram. Talvez não da maneira tão fluente ou articulada quanto eu gostaria que tivesse sido, mas elas vieram. E, em vez de serem apenas minhas palavras bem planejadas, foram as palavras *de Deus*, fluindo de modo intenso e sobrenatural por intermédio de uma pessoa que não poderia ter feito isso por conta própria. Deus me dá a coragem. Deus me dá o poder. E forço mais um pouquinho aquele casulo até que, quem diria, estou voando nas asas da força sobrenatural de Deus.

E este é o propósito por trás do desafio proposto por Deus: colocar-nos na posição de ver a obra miraculosa de seu poder operando em nossa fragilidade.

E é isso que dizemos que queremos. Oramos para experimentar os milagres de Deus, para vê-lo mostrar um sinal de sua bondade. Mas então nos esquivamos, evitamos e fazemos todo o possível para não sermos colocados em um lugar onde milagres são mais propensos a ocorrer: nos lugares apertados, nas situações sem saída, nos extremos onde o único caminho é para baixo, e Deus é o único capaz de nos alcançar.

Jeremias é um exemplo típico. Ele era apenas um jovem quando Deus o chamou para ser seu porta-voz, e ele sabia que o trabalho era grande demais para ele. "Ó Soberano SENHOR, não sou capaz de falar em teu nome! Sou jovem demais para isso!" (Jr 1.6). Ele estava morrendo de medo de aceitar a missão desafiadora de Deus.

Mas o Senhor lhe respondeu: "Não diga: 'Sou jovem demais', pois você irá aonde eu o enviar e dirá o que eu lhe ordenar. E não tenha medo do povo, pois estarei com você e o protegerei" (v. 7-8).

Jeremias ouviu a voz de Deus e aceitou o desafio. Saiu em obediência. Proclamou as palavras que Deus colocou em sua boca. Disse às pessoas de Judá exatamente o que lhes aconteceria se não se arrependessem de seus pecados e não voltassem para Deus: os babilônios viriam, destruiriam Jerusalém e levariam todos cativos.

Não estou dizendo que tudo correu bem para Jeremias só porque foi fiel em fazer o que Deus lhe havia pedido. Ele passou por mais do que imaginava ser capaz de suportar, mas Deus deu a um homem naturalmente tímido a coragem para perseverar diante de uma perseguição severa. O Senhor lhe deu sua palavra para proclamar por mais de quarenta anos. Fez algo sobrenatural em uma vida comum.

Este é o propósito por trás do desafio de Deus: permitir que seus filhos vejam seu poder no desafio.

E Moisés? As realizações notáveis de sua vida começaram com uma mensagem extremamente desafiadora de Deus: voltar para o mesmo lugar de onde havia fugido a fim de salvar sua própria vida quando era mais jovem, para "tirar meu povo, Israel, do Egito" (Êx 3.10).

Moisés tinha quase oitenta anos naquela época. Ele finalmente havia encontrado paz, uma família e uma boa oportunidade de ter uma morte natural um dia em um lugar confortável, em uma idade avançada. Então, quando ouviu pela primeira vez esse plano de Deus para sua vida, Moisés não começou com estas palavras: "Com certeza, Deus, sem problema. Vou dar um pulo até lá, libertar o povo e depois voltar para meu trabalho aqui".

Ele não conseguia *acreditar* no que Deus estava pedindo. Estava completamente apreensivo. Quando Deus o chamou para liderar essa operação de resgate, Moisés protestou: "Não posso fazer isso! Tenho tanta dificuldade para falar! Por que o faraó me daria ouvidos?" (Êx 6.30). Mas o Senhor disse: "Preste atenção ao que vou dizer. Eu o farei parecer Deus para o faraó" (Êx 7.1).

Moisés. Apenas um homem com um chamado difícil. Mas o desafio deu-lhe a oportunidade de representar Deus em um momento que definiria uma geração.

Esse é o propósito por trás do desafio de Deus.

Em outras palavras, Deus sempre quis capacitar de modo sobrenatural seus filhos para tarefas desafiadoras, permitindo que o poder do Todo-poderoso se manifestasse por meio deles.

E é o mesmo conosco. Quando nos submetemos espontaneamente aos desafios do Senhor — a despeito de nosso espanto, medo e hesitação —, liberamos as maravilhas do Todo-poderoso para serem vistas em nós.

Esse é o propósito por trás do desafio de Deus. Sempre foi e sempre será.

> Você já ouviu o Mestre dizer algo muito difícil para você? Se não ouviu, tenho dúvidas de que já tenha ouvido algo dele de fato.
> OSWALD CHAMBERS

O mais fácil? Não!

Não é interessante que o ensinamento deste capítulo venha logo depois de falarmos que a voz de Deus é caracterizada por "paz"? *Então, o que vai ser? Quando estou tentando ouvir a voz de Deus, espero sentir sua paz ou espero que ele me dê um grande susto?*

Deixe-me apenas dizer que há uma diferença entre paz e conforto, entre concordância interior e facilidade exterior. *Paz* não é uma palavra fraca e passiva. *Paz*, no dicionário de Deus, é mais como um verbo de ação.

E com a confiança vem a paz.

Mesmo em meio aos desafios.

Portanto, não confunda seguir a vontade de Deus com concordar com ela. Ele deseja mostrar sua força em você e o encorajará a fazer coisas que exijam grande fé e confiança nele e em sua obra para você.

O caminho da paz não é o mesmo que o caminho mais fácil. E embora eu não esteja sugerindo que a palavra de Deus para você nunca será uma tarefa fácil (o encontro de Naamã com o profeta Eliseu em 2Reis 5 ilustra isso), *estou* dizendo que, ao perceber algo particularmente desafiador, você não deve desconsiderá-lo como algo que não é de Deus. Ao ter uma forte convicção que aponta para uma direção difícil, você deve aguçar seus ouvidos espirituais na direção de Deus. Fontes alternativas raramente o incentivariam a buscar os recursos de Deus ou o inspirariam a ter uma dependência mais completa do Senhor.

Deixe-me lhe dizer quem parece gostar de defender o "caminho mais fácil". Voltemos ao deserto de Mateus 4, onde o Senhor Jesus foi conduzido "pelo Espírito" (v. 1) — não deixe passar *esse* detalhe — para enfrentar o desafio de um jejum de quarenta dias que o prepararia para o ministério que estava prestes a iniciar.

Satanás apareceu tentando Jesus para que transformasse pedras em pão (para aliviar sua fome), realizasse um milagre público surpreendente (para chamar a atenção das pessoas) e se curvasse diante do inimigo em troca de poder e influência no mundo (para evitar o plano de Deus — incluindo, é claro, o sofrimento e a morte).

> *Ele deseja desafiá-lo... mostrar-lhe o que ele pode fazer quando você admite que não pode.*

A cada nova declaração, a voz do inimigo encorajava Jesus a fazer o que seria mais fácil para ele na situação daquele momento. Para um homem que não comia havia mais de um mês, transformar pedras em pão parecia uma ideia muito tentadora. Provar suas habilidades sobrenaturais e exibir seu poder ao ordenar aos anjos que o apanhassem em sua queda espetacular faria que parecesse um *superstar*, entusiasmando uma plateia ávida.

Entre a voz de Satanás e a voz de nossa própria carne e ego, podemos ter certeza de que ouviremos um caminho mais fácil para contornar o desafio de Deus, e ele terá um som muito mais agradável.

Mas é assim que muitas vezes podemos fazer a distinção entre a voz de Deus e a de um "desconhecido" (Jo 10.5).

Por meio do desafio.

Quando você precisa resolver uma discussão com seu cônjuge, o caminho mais fácil é expor imediatamente suas opiniões. O caminho desafiador é ficar em silêncio e levar o problema ao Senhor.

Quando você está esperando alguém tomar uma decisão, o caminho mais fácil é ligar, importunar e dar um prazo. O caminho desafiador é permanecer paciente, orar e fazer algo produtivo enquanto isso.

Muitas vezes, somos tentados a fazer o contrário do que Deus nos pede simplesmente porque é mais fácil. Mas fazer o que é fácil nunca exigirá mais de você, nunca o forçará a recorrer aos recursos de Deus (o objetivo que ele tem em mente para você) e não fará que Deus receba a maior glória.

O objetivo *de Satanás* é manter você no casulo — fraco, sem fazer esforço, preguiçoso. Ele não pediria que você se esforçasse para sair, e certamente não quer que experimente a plenitude do poder de Deus. Da mesma forma, seu ego não pediria que você fizesse algo que pudesse causar constrangimento ou abalar sua autoimagem. O medo apresentará uma opção que o manterá protegido e seguro, em vez de um convite a experimentar os mistérios arriscados da vontade de Deus.

- Deus dirá: "Peça desculpas pelo que você fez". O ego diz: "Não se preocupe. Ninguém percebeu".
- Deus dirá: "Ajude aquela pessoa necessitada". O medo diz: "Eu tenho uma conta alta que precisa ser paga".
- Deus dirá: "Respeite seu chefe, mesmo que ele não mereça". Sua carne diz: "Por que eu deveria fazer isso depois da maneira como ele me tratou?".
- Deus dirá: "Pare de participar dessa atividade". O inimigo diz: "Seus amigos não entenderiam isso".
- Deus dirá: "Permita que seu marido seja o chefe nessa área". Você dirá: "Eu poderia fazer isso melhor e mais rápido".

Seu Pai quer que você o experimente, não apenas o conheça, dando-lhe acesso para ver sua atividade sobrenatural. Deseja que você ande pela fé, confiando que ele será seu provedor, exibindo sua glória e majestade de várias maneiras que você nunca poderia fazer por si mesmo. Deseja lhe mostrar como é vê-lo preencher de modo sobrenatural a lacuna que resta quando suas habilidades se esgotam.

Ele deseja desafiá-lo... mostrar-lhe o que ele pode fazer quando você admite que não pode.

Então, quando do nada lhe vier um pensamento, considere — antes de desprezá-lo — que pode ser algo que Deus está pensando para você. Não o ignore simplesmente. Olhe para dentro de si para ver se o Espírito Santo o está incentivando a buscá-lo, a despeito do desafio que isso apresenta.

Muitas vezes, percebo que Deus está falando quando surge um pensamento em minha mente que me surpreende, talvez me deixando um pouco desconfortável, e sei que é algo que não consigo fazer com meu próprio poder. Quando levo um pensamento assim ao Senhor em oração, quando consulto a Palavra e até busco conselhos que sejam de Deus, e quando minha consciência, guiada pelo Espírito Santo, não me deixa descansar até que eu avance com isso, presumo que seja Deus falando. Ele me tem agora exatamente onde deseja — dependendo de seu poder, não do meu, para fazer o que está pedindo.

Seu desafio está surtindo efeito.

Quando Henry Blackaby, autor de *Experiências com Deus*, ainda estava no seminário, sua igreja convidou-o para ser diretor de música e de educação. Bem, foi uma gentileza da parte da igreja fazer esse convite, mas ele nunca havia cantado em um coral nem sido líder musical de qualquer tipo, então, naturalmente, se sentiu pouco à vontade para assumir uma responsabilidade como aquela. No entanto, à medida que continuou a buscar a vontade do Senhor, sentiu que Deus o estava conduzindo a aceitar. Assim, a despeito de sua evidente falta de experiência, ele prontamente obedeceu.

Depois de servir com sucesso nessa função por dois anos, a igreja o convidou para ser o pastor, mesmo ele tendo pregado só alguns sermões e novamente se sentindo inapto para a função. No entanto, quando levou isso a Deus em oração, mais uma vez se sentiu levado a aceitar.

Esse foi o início de um ministério que se estendeu por décadas e abençoou milhões de pessoas por meio de seus livros, suas palestras e seu ministério pelo mundo inteiro. Mas se ele sempre tivesse escolhido o caminho mais fácil, o caminho confortável, nunca teria estado na posição de ver o potencial pleno de Deus alcançado em sua vida, e nunca teríamos nos beneficiado com o extraordinário ministério que Deus estabeleceu por meio dele.

Isso não teria acontecido se ele tivesse resistido ao desafio de Deus.

O apóstolo Paulo falou sobre seus próprios sentimentos de inadequação e suas experiências com a forma sobrenatural com que Deus operava por seu intermédio. Muitas vezes, sentiu-se despreparado para enfrentar o desafio que Deus estava apresentando. Mas Deus lhe disse: "Minha graça é tudo de que você precisa. Meu poder opera melhor na fraqueza". Ao que Paulo respondeu: "Portanto, agora fico feliz de me orgulhar de minhas fraquezas, para que o poder de Deus opere por meu intermédio" (2Co 12.9).

É certo. Deus proverá no lugar para onde ele guiar. É melhor escolher o caminho desafiador — se Deus estiver nele — do que o caminho mais fácil e mais conveniente sem a presença e o poder de Deus.

Não, você não tem o que é necessário para fazer isso. Não está apto. Não pode.

Mas o Espírito está dizendo que deseja fazer isso por meio de você.

Essa é uma das maneiras pelas quais você sabe que Deus está falando.

Por meio do desafio.

Desafios do capítulo

- Não desconsidere uma opção só por ser a possibilidade mais difícil.
- Lembre-se disto: (1) Seu ego apresentará uma opção cujo objetivo será manter sua autoimagem intacta. (2) Seu medo apresentará a rota de segurança, livre dos riscos muitas vezes necessários para acessar reservas divinas. (3) Seu inimigo oferecerá facilidade e conforto para impedir que você tenha acesso aos recursos sobrenaturais de Deus. (4) Sua carne esperará satisfazer a si mesma e aos próprios desejos.
- Paz e desafio podem coexistir. Você pode ter uma certeza interior com relação às diretrizes de Deus e, ainda assim, enfrentar desafios e dificuldades externas.

9
Ele exala verdade

> Pois a palavra do SENHOR é verdadeira
> e podemos confiar em tudo que ele faz.
>
> SALMOS 33.4

Vamos lembrar como é Deus quando fala:

- Ele é persistente.
- Ele fala pessoalmente.
- Ele traz uma sensação de paz.
- Ele muitas vezes apresenta um desafio.

Esses são os tipos de padrões e mensagens que devemos buscar quando estamos discernindo a voz de Deus. Mas, onde ainda restar qualquer dúvida sobre se você está prestando atenção ou não enquanto ouve, enquanto espera, enquanto cuida para ter a confirmação, a conclusão é esta...

Ele fala principalmente por meio de sua Palavra.

E sua Palavra é sempre verdadeira.

Quando eu era pequena e minha mãe precisava me deixar em algum lugar por pouco tempo, ela sempre se agachava à minha frente, olhava bem em meus olhos e dizia: "Priscilla, você vai ficar aqui até eu voltar. Não vá com ninguém. Não acredite em ninguém que disser que eu mandei tal pessoa buscar você. Não vou mandar ninguém. Fique bem aqui e me espere". Eu tinha a palavra de minha mãe.

Ela havia sido bem clara. Não havia necessidade de duvidar. Se alguém me dissesse algo contrário ao que ela tinha dito, eu já saberia de imediato que essa pessoa não estava dizendo a verdade, porque minha mãe já havia falado sobre aquele assunto e manteria sua palavra.

Da mesma forma que Deus mantém a dele.

Quando lemos as Escrituras, é como se ele estivesse se agachando diante de nós, segurando nosso rosto em suas mãos e dizendo: "É isso que eu sou, e é isso que eu vou fazer. Não deixe que ninguém lhe diga o contrário. Não confie em quem faz você duvidar do que estou lhe dizendo. Acredite em mim, porque estou dizendo a verdade".

Por isso, esses dois últimos capítulos desta seção são indispensavelmente importantes, porque tudo o que aprendemos até agora sobre ouvir a voz Deus está, em última análise, fundamentado na verdade de Deus. Quem se recusar a agir com base no conhecimento que ele revela em sua Palavra — e, da mesma forma, quem preferir agir com base em uma intuição que vai contra seu ensinamento bíblico — nunca saberá discernir a voz de Deus.

> *Onde as Escrituras são ignoradas, ele permanece como o Deus desconhecido. Portanto, quanto mais familiarizado você estiver com a Palavra, mais precisamente será capaz de ouvir a voz dele.*

Onde as Escrituras são ignoradas, ele permanece como o Deus desconhecido.

Portanto, quanto mais familiarizado você estiver com a Palavra, mais precisamente será capaz de ouvir a voz dele. A Bíblia oferece a estrutura na qual virão as mensagens dele para você. Tudo o que o Espírito disser estará dentro dos limites daquilo que já foi escrito.

Portanto, aposte sua última moeda neste princípio fundamental: você irá ouvi-lo com mais precisão à medida que permanecer constante e consistente no estudo e meditação da Palavra sagrada de Deus.

Ao falar, ele fala a verdade. Ele é o "Deus fiel" (Sl 31.5).

> Enganamos a nós mesmos se afirmarmos que desejamos ouvir a voz de Deus, mas negligenciarmos o principal canal por meio do qual ela vem. Devemos ler sua Palavra. Devemos obedecer a ela. Devemos vivê-la, o que significa relê-la ao longo de nossa vida.
>
> Elisabeth Elliot

Eu reconheceria aquela voz em qualquer lugar

Meu irmão, Anthony Evans Jr., é a cópia exata de nosso pai. Ele não só leva o nome de meu pai, mas, se ouvisse os dois falando, você notaria que têm quase o mesmo timbre de voz — um pequeno truque que meu irmão usava quando queria se divertir à custa dos outros. Já o vi ao telefone, fingindo ser meu pai, enquanto conversava até mesmo com algumas pessoas muito próximas, e mantendo a farsa por um tempo considerável antes de elas perceberem que não estavam falando com o homem que pensavam que era.

Mas isso nunca funcionava comigo. Por mais parecidas que sejam a voz de meu irmão e a de meu pai, Anthony não consegue me enganar nem por um segundo. Ele pode conseguir enganar outras pessoas, mas quando o vejo tentando me enganar com essa pegadinha, ele é descoberto quase antes mesmo de começar. Passei tempo suficiente tanto com ele quanto com meu pai para conhecer bem as pequenas, mas distintas, diferenças nas inflexões e tons de voz.

O apóstolo Paulo advertiu-nos de que Satanás muitas vezes se disfarça de "anjo de luz" (2Co 11.14). O inimigo deliberadamente tenta falar conosco de uma maneira que se assemelha à voz do Espírito Santo. Mas, por mais que tente imitar a voz de Deus, ele nunca soará exatamente como a voz verdadeira. Portanto, quanto mais íntimos nos tornamos de Deus e de sua Palavra, mais rapidamente conseguiremos identificar quem está de fato falando. Se quisermos ser capazes de reconhecer as mentiras de Satanás — e quem não quer? —, devemos ter certeza de que estamos passando muito tempo em comunhão íntima com a verdade. Quanto mais lemos a Palavra escrita, mais familiarizados ficamos com o caráter, a personalidade, os padrões e os meios de Deus. Quando Deus falar hoje, sua voz carregará a mesma personalidade e padrões, e revelará os mesmos atributos que ele revela em sua Palavra. Reconheceremos sua voz porque ela "soará" como aquele que passamos a conhecer tão bem nas Escrituras.

É como a diferença entre a conversa tensa e reservada de um estranho que você acabou de conhecer e o bate-papo familiar de um amigo íntimo com quem você compartilha coisas da vida, memórias e relacionamentos comuns.

As pessoas muitas vezes dirão algo assim: "Acho que estou ouvindo a voz de Deus, mas não tenho certeza. E se for o inimigo me induzindo a um grande erro? E se for só a minha própria voz, me levando na direção daquilo que quero e prefiro? Como posso saber se é Deus ou não?".

O Senhor deseja que seu relacionamento com ele seja tão próximo a ponto de a voz de Satanás nunca poder enganá-lo. Deseja que você esteja perto o suficiente para que, ao ter determinada impressão, possa saber se ela está alinhada com a natureza do Deus que você conhece tão bem por meio das Escrituras. Assim, quando o que estiver sentindo parecer estranho, você poderá afirmar com confiança: "Meu Deus nunca diria algo assim". Se você se concentrar na prioridade de conhecer a Deus e sua Palavra, automaticamente começará a ter discernimento por si só.

Se não cuidamos do básico, não deveríamos esperar nenhum fruto.

Você saberá se está ou não ouvindo a voz de Deus porque está bem próximo dele.

O exemplo de Paulo nos ensina sobre a importância e primazia de conhecer a Deus. A primeira coisa que Paulo perguntou quando encontrou o Salvador ressurreto no caminho para Damasco foi: "Quem és tu, Senhor?" (At 9.5). E quando Deus respondeu a essa pergunta mais detalhadamente ao longo de muitos anos de desafios, experiências e relacionamento íntimo, o apóstolo pôde declarar:

"Todas as outras coisas são insignificantes comparadas ao ganho inestimável de conhecer a Cristo Jesus, meu Senhor. Por causa dele, deixei de lado todas as coisas e as considero menos que lixo, a fim de poder ganhar a Cristo" (Fp 3.8).

Nada, disse Paulo, é tão maravilhoso quanto conhecer a Cristo — nem mesmo ouvir sua voz e conhecer sua vontade, por mais precioso que isso seja. Ouvir a voz de Deus e discernir sua direção nunca foi o principal objetivo de Paulo, porque ele compreendia plenamente que, se conhecesse a Cristo, todas essas outras coisas seriam consequências naturais.

Eu gostaria de ter certeza de que você não perderá isto: a importância singular de conhecer a Deus — o segredo para conhecer sua voz. Pare por um instante e faça uma pequena avaliação pessoal.

- Será que você está tendo dificuldades para discernir a voz de Deus porque, de algum modo, ignorou a necessidade de conhecer quem ele realmente é?
- Você está mais em busca da "voz" do que de Deus?
- Conhecer a vontade de Deus vem primeiro do que simplesmente conhecê-lo?

Já fiz perguntas como essas a mim mesma inúmeras vezes ao longo dos anos. Ainda faço, na verdade. Assim como você, o que muitas vezes quero saber mais de Deus são os detalhes — para onde ele quer que eu vá, o que quer que eu faça, até mesmo o que quer fazer por mim! Já me senti culpada por buscar a direção e a bênção de Deus mais do que buscar a ele. Não consigo dizer quantas vezes sua amável convicção — a do tipo que vem apenas de Deus — me disse que meu foco estava na coisa errada. É como tentar cultivar uma linda e grande macieira de folhas exuberantes e maçãs maduras e suculentas quando não se plantou uma semente. Se não cuidamos do básico, não deveríamos esperar nenhum fruto. Esperar o contrário é absurdo.

Quando conhecer a Deus for nossa prioridade, ele revelará verdades sobre si mesmo — sua personalidade e seus planos — que nos apontarão para o caminho que devemos seguir. Então, quando o seguirmos, poderemos avançar com a maior bênção de todas: o privilégio de um relacionamento íntimo e caloroso com Deus. Quando sua presença é nossa companhia constante, o caminho escolhido por ele não apenas se torna mais claro para nós, mas também se torna o único caminho que realmente desejamos.

Ao que parece, o rei Davi compreendeu essa prioridade. Sabemos pelas Escrituras que ele suportou muitas circunstâncias infelizes e decepções ao longo da vida. Membros de sua própria família o difamaram (veja 1Sm 17.28; 2Sm 6.20). Seu antecessor, o rei Saul, tentou matá-lo em mais de uma ocasião. Davi, mais tarde, caiu em um profundo poço de pecado, experimentando uma fase de distância de Deus que impôs a si mesmo. Mesmo como rei, viu os ímpios prosperando enquanto o povo de Deus tropeçava.

Apesar de tudo isso, ele pôde dizer ao Senhor: "De todo o meu coração te busquei" (Sl 119.10). Seu foco não estava, sobretudo, em suas circunstâncias ou no que esperava que Deus fizesse a respeito delas. Seu foco estava no próprio Deus. Ele nunca se desiludiu com seus problemas e dificuldades a ponto de deixar de buscar conhecer a Deus. Mesmo quando sentia que Deus já não estava falando, e não conseguia entender por quê, a paixão que ardia em seu coração ainda era a de segui-lo de perto.

Você saberá que está buscando algo diferente do próprio Deus quando estiver em uma dessas fases intermediárias da vida — quando parecer que nada está acontecendo e que Deus não está falando com você de uma maneira que você consiga discernir com clareza — e começar a se afastar dele. Ou quando estiver enfrentando um momento particularmente difícil, e deixar de buscá-lo. Se você não o buscar "de todo o seu coração" quando as coisas ficarem difíceis, isso mostra que está mais interessado no que espera que ele faça por você do que simplesmente em conhecê-lo.

E é conhecendo-o que você o ouve.

É conhecendo-o que você reconhece a verdade de Deus.

> Quem busca a Deus como meio para atingir fins desejados não irá encontrá-lo. O Deus poderoso, o criador dos céus e da terra, não será apenas um entre muitos tesouros, nem mesmo o principal de todos eles. Ele será tudo em todos, ou não será nada.
>
> A. W. Tozer

Um Deus, uma verdade

Enquanto ministrava neste mundo, Jesus muitas vezes pontuava seus ensinamentos com a expressão "Em verdade, em verdade lhes digo". Seus ouvintes sabiam que o que ele estava dizendo não era uma opinião ou uma proposta, mas um fato. Pura verdade. E à medida que se preparava para partir deste mundo e voltar para seu Pai, Jesus assegurou a seus discípulos confusos e ansiosos: "Quando vier o Espírito da verdade, ele os conduzirá a toda a verdade" (Jo 16.13).

A palavra grega para "verdade" nesse versículo denota uma verdade do tipo "dois mais dois são quatro". A verdade completamente livre de preconceitos, pretensão, falsidade ou engano. Quando você ouve a voz do Espírito Santo, pode ter certeza de que o que ele diz é a verdade, toda a verdade e nada além da verdade. Ela sempre estará alinhada com as Escrituras, o alicerce da verdade.

O Espírito Santo que habita em você nunca falará com você sem ter recebido revelação direta de Deus. Ele não cria mensagens por conta própria. "Não falará por si mesmo, mas lhes dirá o que ouviu e lhes anunciará o que ainda está para acontecer" (v. 13). Toda mensagem que ele lhe entrega vem diretamente do Deus da verdade.

Assim, não apenas precisamos conhecer as Escrituras porque podemos conhecer a Deus, mas também porque podemos conhecer seu padrão que ele nunca comprometerá em sua palavra pessoal para nós.

O Espírito Santo — o Único com acesso direto à verdade dos pensamentos de Deus sobre você — também tem o desejo de compartilhar com você as revelações divinas. Ele fará isso de várias maneiras (como já discutimos), mas a mensagem para você sempre será solidamente baseada no que ele já revelou em sua Palavra. Não caberá a você criar seu próprio padrão de verdade, construindo-o a partir de alguma combinação complexa de gostos pessoais, cultura pós-moderna e tradições humanas. Que é exatamente o que fez um amigo meu, a quem chamarei de Cooper.

Ele havia decidido deixar a esposa. Quando me contou suas razões, quase perdi a paciência. Ao tirar de contexto passagens das Escrituras e aplicá-las de forma inadequada, ele havia tecido uma rede de racionalizações para justificar suas ações. Agora, com grande autoconfiança — do tipo que conseguimos construir em particular com longas horas de ajuda enganosa de Satanás, convencendo-nos de qualquer posição que desejamos adotar no final —, ele tentou obter minha aprovação.

Ele estava certo de que havia ouvido a voz de Deus. Positivo. Havia decidido, na verdade, que Deus não apenas lhe permitia essa opção, mas estava de fato disposto a abençoar sua união com outra pessoa que o fazia "feliz".

Enquanto eu ouvia, fiquei pensando nos muitos anos de frutos espirituais que sua salvação havia produzido. Sabendo que o Espírito Santo realmente habitava nele, tive dificuldade para entender como ele pôde ter se desviado tanto em se tratando de discernir a voz de Deus.

Mas era isso que estava acontecendo. Ele escolheu seguir um curso específico de ação e agora o havia concluído, convencendo-se de que havia recebido a aprovação de Deus.

No entanto, mesmo que seja possível que ele tenha se *sentido* levado a fazer isso, posso assegurar a você que não era o Espírito Santo que o estava conduzindo. Ele não poderia ter ouvido o Espírito da verdade, porque ele fala apenas o que ouve de Deus (Jo 16.13). E Deus nunca fala de forma contrária à sua Palavra escrita.

Nunca.

Contudo, eu, na verdade, não deveria ter ficado tão surpresa. Todos já estivemos em uma posição como essa em algum momento, não é? Pensamos com certeza que Deus estava nos dizendo algo específico. Sabíamos disso. Tínhamos certeza disso. O único momento em que ficamos um pouco confusos foi quando tentamos conciliar isso com o que sabíamos das Escrituras, ou quando tentamos explicar nossa ideia a um pai ou amigo que tinha uma relação íntima com Deus. Então, era preciso fazer um grande esforço mental e estilizar uma lógica para tentar juntar todas as pontas soltas. A voz que pensávamos ter ouvido de Deus não teve tanta sorte à luz da Palavra de Deus. Cabia a nós decidir: Vamos confiar na Palavra de Deus como sendo a verdade? Vamos escolher nos conformar ao verdadeiro caráter de Deus a despeito do que estamos sentindo?

Era com isso que Cooper tinha de lidar. Ele estava substituindo a verdade de Deus por normas culturais. À medida que conversávamos, descobri que a maioria dos casais em sua família havia deixado o cônjuge por motivos banais e se casado novamente. Ele havia aprendido esse comportamento na infância e ficado à vontade com ele ao longo do tempo. Então, meu marido e eu tentamos ajudá-lo a perceber que, por mais que estivessem profundamente entrelaçados na trama de sua vida, a história de sua família e os padrões de comportamento, ainda assim, não anulavam a verdade de Deus. Toda vez que essas duas forças poderosas vão ao encontro uma da outra, a Palavra de Deus é o cavalo no qual você deseja confiar para sair dessa situação difícil.

Entendo como é grande nossa predisposição para ver as práticas culturais e familiares com algo que se aproxima a um fervor religioso, deixando que superem qualquer coisa que ameace desafiá-las. Vemos isso na vida da igreja primitiva, à medida que aqueles que haviam sido criados segundo a cultura judaica ficavam irritados com o que Deus estava fazendo ao unir judeus e gentios sob o senhorio de Cristo.

Uma das questões mais controversas dessa dinâmica, como já mencionado, era o debate sobre alimentos aceitáveis. De acordo com a tradição judaica, não havia problema algum em comer certos alimentos, ao contrário de outros. Mas, quando veio, Cristo permitiu que seus seguidores comessem alimentos que antes eram considerados impuros. Ele esclareceu que estavam livres para experimentar a vida com ele sem se concentrarem principalmente em aspectos externos.

Mas eles não concordaram com isso de imediato. Quando os cristãos judeus se viram em comunhão com os cristãos gentios, que não tinham as mesmas restrições alimentares em suas origens, a convicção da tradição e da cultura entrou em conflito com a de seus novos irmãos e irmãs. Em um dia, enquanto jantava com alguns cristãos gentios, Pedro percebeu que estava gostando da união que Deus havia trazido a esses relacionamentos que tinham Cristo como centro, permitindo-lhes compartilhar juntos suas refeições. Contudo, quando alguns amigos de seu antigo bairro apareceram e viram o que o amigo Pedro estava fazendo, o desconforto da tradição cultural ficou entalado em sua garganta. Ele podia sentir os olhares e a condescendência dos amigos. Estar cercado por pessoas que compartilhavam com ele uma ascendência comum e uma forma de pensar fez que ele se distanciasse dos gentios, ignorando-os em respeito à influência exercida pela tradição.

O apóstolo Paulo ficou bastante irritado com isso. Antes um perfeito legalista, ele percebeu exatamente o que estava acontecendo e soube bem o que se passava na mente de Pedro. E visou eliminar esse problema "diante de todos" (Gl 2.14). Com a força contundente de suas palavras poderosas, deixou claro para Pedro que ele não estava "seguindo a verdade das boas-novas". Pedro estava deixando que a tradição, e não o ritmo constante da Palavra firme de Deus, moldasse seu pensamento.

É tão fácil para nós dependermos de nosso próprio entendimento, assumirmos que é aceitável deixar nossa bússola cultural determinar as escolhas que fazemos. Mas o padrão de verdade de Deus não raro é muito diferente daquele que ensinam nossa família, nossa tradição, talvez até mesmo nossa denominação. Só porque nos sentimos à vontade fazendo algo, ou só porque temos uma impressão interna que se alinha com as outras características que já discutimos em capítulos anteriores, isso não significa necessariamente que seja certo. Devemos filtrar tudo através da verdade revelada de Deus.

Sua Palavra.

Voltar sempre à sua Palavra.

Tudo o que você ouve que contradiz as Escrituras não é de Deus. Se você tem de tomar uma decisão neste momento e está confuso quanto a discernir se a voz que está ouvindo vem ou não do Espírito da verdade, pergunte a si mesmo:

- Ela contradirá a verdade encontrada nas Escrituras?
- Ela me levará a ceder a algum tipo de pecado?
- Ela me incentivará a encobrir meu pecado de maneira hipócrita?
- Ela dará glória a Deus ao engrandecer sua verdade para as pessoas envolvidas?

Quando passada pelo filtro da verdade da Palavra de Deus e de seu Espírito, a voz de Deus começa a ficar clara. Podemos saber — *saber* — que estamos agindo de acordo com a vontade de Deus.

> E nós recebemos o Espírito de Deus, e não o espírito deste mundo, para que conheçamos as coisas maravilhosas que Deus nos tem dado gratuitamente.
>
> 1 Coríntios 2.12

Derrubando fortalezas

Examinemos mais uma razão extremamente fundamental para permanecermos comprometidos com a verdade da Palavra de Deus: as fortalezas. A Bíblia é o mecanismo que usamos para demolir essas principais barreiras que nos impedem de ouvir a voz de Deus.

Fortalezas são barricadas espirituais que impedem a voz de Deus de chegar a nossos ouvidos espirituais. Paulo chamou-as de "fortalezas", "falsos argumentos" e "opiniões arrogantes" que se erguem em nosso coração para nos impedir "de conhecer a Deus" (2Co 10.4-5).

Para nos impedir de conhecer a verdade.

Fortalezas são coisas como preocupação. Medo. Falta de perdão. Baixa autoestima. Orgulho. Dúvida. Ceticismo. Pecado. Ideias e processos mentais que vão contra a verdade dos pensamentos de Deus e têm prioridade sobre ela, manifestando-se, por fim, em nossas ações.

É verdade que contribuímos para a presença desses intrusos em nossa vida. Mesmo que sejam frutos do pecado e de maus-tratos de outros, somos cúmplices no sentido de que cooperamos com os propósitos do diabo para construir estruturas como essas dentro de nós. Mas sejamos claros sobre isto: as fortalezas são obra do diabo.

Há um inimigo de sua alma, meu amigo, e o negócio dele é construir fortalezas. Ele pode não ser capaz de arrancá-lo das mãos do Pai, mas está determinado a fazer tudo o que for diabolicamente possível para impedir que você ouça a voz de Deus, acredite na verdade e experimente levar a vida abundante para a qual foi salvo.

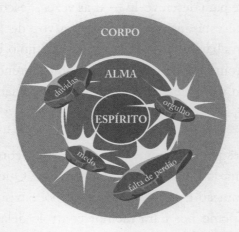

Você se lembra dos diagramas no capítulo 2 que mostram que nós, seres humanos, somos constituídos de corpo, alma e espírito? E de como a presença do Espírito Santo no núcleo de nosso ser, que ocorre na salvação, começa a irradiar a verdade por meio da estrutura de nossa alma, que é composta por mente, vontade e emoção, transformando-nos de dentro para fora?

Bem, veja *isso*. É isso que acontece com esse processo de santificação à medida que fortalezas se desenvolvem em nossa alma.

O simples fato de termos esses cânceres espirituais dentro de nós já é muito ruim. Mas, à medida que essas fortalezas de dúvida e rebelião barricam a verdade de Deus, a obra do Espírito em nós fica comprometida, impedindo-nos de ouvir com clareza ou até mesmo de ouvir de fato. Por fim, a presença das mentiras de Satanás que envenenam a alma se manifesta exteriormente por meio de nosso sistema, aparecendo em nosso corpo. Embora tenham sido criadas com más intenções pelo diabo, essas distorções crescem e se multiplicam à medida que as alimentamos e fortalecemos, permitindo que se tornem torres de resistência.

Essa é a fonte de vícios físicos e distúrbios alimentares, de relacionamentos doentios e imoralidade sexual. Fortalezas foram erguidas contra a verdade de Deus, e, portanto, nossa vida suporta a pressão e até mesmo exibe evidências do engano do diabo.

Se isso serve para descrevê-lo — e, às vezes, descreve a maioria de nós —, se você está ansioso para ouvir a voz de Deus e cansado de ouvir o som abafado atrás das paredes de tijolo levantadas pelas mentiras de Satanás, deixe-me lhe dizer o que aprendi com a Palavra de Deus e com minha experiência pessoal. Há apenas uma maneira de lidar com sucesso com uma fortaleza.

Demolição.

Muitas vezes pensamos que devemos apenas conviver com essas coisas. Contorná-las. Aprender a lidar com elas. Queremos acreditar que nossa reputação e influência pessoal podem sobreviver a elas, que um novo plano nos dará melhor controle delas, que o último livro de autoajuda tem as informações e estratégias necessárias para neutralizá-las.

Mas fortalezas espirituais só podem ser vencidas com armas espirituais. E conheço uma Espada que está à altura da tarefa.

Paulo fala sobre destruir essas ideias que desafiam o conhecimento de Deus, não com a sabedoria do mundo nem com táticas "conforme os padrões humanos", mas sim com "as armas poderosas de Deus" que servem "para derrubar as fortalezas" (2Co 10.3-4).

Sim, você ouviu certo.

Derrubar.

Ao lidar com a carne, você pode lutar com armas conforme os padrões humanos. Mas, ao combater na esfera espiritual, somente as armas divinas de Deus servirão. O texto de Efésios 6.10-20 descreve com detalhes a armadura espiritual que devemos vestir para estar preparados para a batalha. Tudo o que aparece na lista nessa passagem tem natureza defensiva. Tudo, exceto uma coisa. Devemos empunhar efetivamente "a espada do Espírito, que é a palavra de Deus" (v. 17). Para destruir as mentiras de Satanás e dar espaço à verdade de Deus — e ouvir com clareza sua voz mais uma vez —, devemos confiar completamente nas verdades das Escrituras.

Chega de brincadeiras. Chega desse vaivém na Palavra apenas para beliscar pequenas porções de inspiração.

Isso é sério. Fique esperto.

Pergunte à Libby. Ela carregou cicatrizes emocionais profundas na infância. Seu pai havia cometido adultério inúmeras vezes, e ele e a mãe usaram Libby e o irmão como marionetes e armas para manipular e ferir um ao outro. Ela se sentia abandonada, injustiçada, desprotegida e não amada. Atormentada pela baixa autoestima e por dúvidas em relação a si mesma — fortalezas em sua alma —, ela desenvolveu muitos problemas destrutivos, incluindo distúrbios alimentares, dificuldades nos relacionamentos e uma depressão latente e persistente. Mesmo depois de ter recebido Cristo, essas mesmas expressões perturbadoras continuaram a levar vantagem sobre ela.

A Espada da verdade em ação.

Um dia, porém, enquanto arrumava o quarto do filho de quatro anos, do nada seu coração foi tomado por um sentimento de santa entrega. Ela se lançou ao chão, cercada pelos brinquedos do filho, e, em posição fetal, clamou a Deus, sabendo que a única saída desse ciclo de desespero seria algo drástico. Radical.

Era o dia da demolição.

Libby começou uma disciplina rigorosa de memorização das Escrituras. De hora em hora, repetia o mesmo versículo três vezes — frequentemente tomando a precaução extra de ajustar o alarme para lembrá-la. No final da semana, ela pegava cada versículo escrito e o arquivava por categoria e assunto para ser usado em batalhas futuras.

As primeiras semanas não resultaram em uma mudança perceptível. Contudo, à medida que essas semanas de imersão intensa nas Escrituras começaram a aumentar, a esperança começou a tomar o lugar da depressão de Libby. Uma força santa começou a preencher seu coração e mente. Ela ainda enfrentava tentações — e ainda enfrenta até hoje —, mas "as mentiras começaram a se calar e a verdade de Deus falou alto", escreveu em um e-mail posterior para mim. "As vozes destrutivas em minha mente foram substituídas pela voz de Deus, e o Príncipe da Paz reivindicou meu coração. Tenho continuado a viver nele triunfantemente desde aquele dia."

Essa é a Espada da verdade em ação.

- Quando sua fortaleza disser: "Deus nunca poderia amar você", as Escrituras dirão: "Isso não é verdade. Ele me ama com amor eterno" (veja Jr 31.3).
- Quando sua fortaleza disser: "Deus nunca o aceitará", as Escrituras dirão: "Isso não é verdade. Sou aceito por causa de meu relacionamento com Cristo" (veja Gl 2.16).
- Quando sua fortaleza disser: "Você nunca será capaz de fazer isso", as Escrituras dirão: "Isso não é verdade. Posso todas as coisas com a ajuda de Cristo, que me dá a força de que preciso" (veja Fp 4.13).

Se dedicar tempo ao exame cuidadoso de alguns dos males e dificuldades que você está enfrentando, talvez consiga ver que provêm de uma fortaleza que o inimigo construiu para servir como barreira a fim de impedi-lo de ouvir a voz da verdade de Deus em sua vida. Um relacionamento prejudicial pode começar com a crença fundamental de que "não mereço nada melhor". Você pode atribuir uma dependência química a uma crença de que "só consigo encontrar paz em uma garrafa de álcool". Um problema de peso pode ter começado quando você se convenceu de que "não tem autocontrole". O objetivo do inimigo é manter sua vida tão cheia de fortalezas a ponto de você não só experimentar derrotas externas, mas também, em seguida, ser impedido de ter a capacidade interna de ouvir a voz de Deus.

Então, eu lhe digo: "Empunhe sua espada". Golpeie. Corte. Ataque. Derrube. Leve "cativo todo pensamento rebelde e o [ensine] a obedecer a Cristo" (2Co 10.5). Derrube a autoridade disfarçada das fortalezas, substituindo as mentiras de Satanás pelas verdades das Escrituras. Como Libby, quanto mais você digerir a Palavra de Deus, mais poderá esperar a destruição de quaisquer fortalezas que o estejam impedindo de ouvir com clareza a voz de Deus.

Sim, a Palavra de Deus é a verdade. Ela *revela a verdade* sobre a personalidade e o caráter de Deus, tornando-nos mais capazes de discernir sua voz entre outras. Ela *declara a verdade*, dando-nos limites nos quais sua presente direção estará. E ela *usa a verdade* como uma arma contra qualquer coisa que a impeça de ser claramente recebida. Portanto, é nossa responsabilidade permanecer consistentemente imersos em sua verdade a fim de que estejamos preparados para ouvir e seguir sua direção em nossa vida.

Quando estiver cheio de dúvidas em relação a si mesmo, sem saber ao certo o que fazer, no que pensar ou em quem acreditar, encontre consolo em saber que pode confiar na Palavra de Deus. Quando ele falar, cumprirá o que diz. Ele não o decepcionará. Não o deixará na dúvida. Ele não o conduzirá pelo caminho errado.

Você tem a palavra dele nesse sentido.

Desafios do capítulo

- Reoriente seu foco para conhecer a Deus, em vez de apenas conhecer a direção que ele tem para sua vida.
- Uma vez que tudo o que Deus disser hoje estará dentro dos limites das Escrituras, não deixe de permanecer leal ao estudo dos preceitos bíblicos.

- Continue a recorrer a estas perguntas quando não souber ao certo como Deus o está guiando: (1) Ela [a voz] contradiz a verdade encontrada nas Escrituras? (2) Ela me levará a ceder a algum tipo de pecado? (3) Ela me incentivará a encobrir meu pecado de maneira hipócrita? (4) Ela dará glória a Deus ao engrandecer sua verdade para as pessoas envolvidas?
- As fortalezas impedem que Deus seja recebido. Identifique quaisquer fortalezas que você possa ter e, em seguida, use-as como alvos específicos a serem destruídos com as armas feitas sob medida pelas Escrituras.

10
Ele fala com autoridade

Não ardia o nosso coração quando ele falava conosco no caminho e nos explicava as Escrituras?

LUCAS 24.32

Era uma manhã normal. Eu estava em meu tempo habitual de silêncio, lendo a Bíblia e orando. Fazendo as orações de costume. Conversando com Deus sobre os detalhes de minha vida diária, pedindo-lhe que me mantivesse focada em sua voz ao longo do dia — quando, do nada, o nome de uma velha amiga me veio à mente, como se minha linha de raciocínio tivesse se transformado, de repente, em uma máquina do tempo.

Ela e eu havíamos sido amigas íntimas por muitos anos, mas, quando as crianças vieram e nosso estilo de vida mudou, nossos caminhos se separaram. Sabe como é. Mesmo que ela ainda fosse muito importante para mim, já fazia muito tempo que não a via.

Engraçado. Por que ela veio à minha mente nesse momento? Que ótimo e nostálgico! Mas, vejamos, onde eu *estava*? Orando? Ah, sim, orando. Então, sem hesitar, fiz minha mente voltar ao modo presente e continuei com a tarefa devocional em questão.

Então, lá estava ele de novo. O nome dela. E dessa vez, o final de um versículo bíblico conhecido veio junto: "Ame o seu próximo como a si mesmo" (Mt 19.19). Supondo que era provável que o Senhor estivesse chamando minha atenção por algum motivo desconhecido, eu a incluí em minha oração naquele momento, pedindo a Deus que abençoasse a ela e sua família.

Que espiritual de minha parte!

Mas eu não sabia ao certo o que fazer com o pensamento que me veio à mente em seguida — aquele que dizia: "*Ligue para ela. Ela precisa de você*".

Parei por um instante, pensando na validade do que havia acabado de ouvir. Certamente Deus não queria que eu ignorasse meu tempo de oração e estudo da Bíblia para pegar o telefone e ligar para uma velha amiga.

"*Ligue para ela. Ela precisa de você.*"

O pensamento simplesmente não ia embora. Como uma âncora segurando um barco no mar, essas simples palavras carregavam consigo um peso que eu podia sentir na alma. Embora a mensagem parecesse ter pouca importância, a impressão que deixou em mim era de fato surpreendente. Imediatamente, meu coração sentiu o calor que muitas vezes acompanha a voz de Deus.

Paz.

Certeza.

Autoridade.

Faça isso.

Então, levantei-me, diminuí o volume da música de adoração, encontrei o número dela e liguei.

Assim que ela atendeu, pude perceber que parecia apressada e frustrada, mesmo enquanto trocávamos nossas educadas saudações "há quanto tempo não nos vemos" e assim por diante. Ela me disse que o marido estava no trabalho, a babá havia ligado dizendo que estava doente, e ela estava em casa com os três filhos pequenos enquanto tentava cumprir suas responsabilidades profissionais em tempo integral no escritório que tinha em casa. Além disso, estava encarando uma pilha de roupas limpas que precisavam ser separadas, penduradas ou dobradas e guardadas. Então, desculpou-se pela reação que teve à minha ligação de surpresa. Esperava que eu entendesse.

Não é preciso dizer que eu já não tinha mais dúvidas do motivo pelo qual ela havia vindo à minha mente naquela manhã. Para honrar a diretriz dada em Mateus 19, eu sabia exatamente o que deveria fazer. Passei o restante de meu habitual tempo em silêncio naquela manhã tão comum cuidando das meias, camisas e toalhas de banho de outra família. Eu estava maravilhada com o amor de Deus, que, notando o esforço de uma de suas filhas para dar conta dos afazeres, buscou alguém tão comum como eu para ir até lá e ajudar.

E sabe de uma coisa? Eu poderia ter perdido essa oportunidade se ele não tivesse falado comigo de tal maneira que mal pude deixar de ouvi-lo, trazendo à vida um pequeno versículo das Escrituras. Se o pensamento que cogitei em meu quarto naquela manhã tivesse sido apenas uma simples função cerebral, eu poderia facilmente tê-lo racionalizado e justificado. É o que normalmente tentamos fazer, mesmo quando sabemos que é mais do que isso. Mas, uma vez que a mensagem dele veio com tanta força e peso, não precisei me esforçar muito para que tivesse um impacto duradouro em mim.

Quando o Espírito Santo fala, sua voz vem com poder e autoridade. Ela o atinge lá no fundo. Ela o envolve. Seu coração arde. É ele. Você sabe.

> Sei que Deus está falando quando sua voz é tão poderosa a ponto de confortar, curar, instruir, corrigir e dar sabedoria com apenas algumas palavras.
>
> Pat Ashley

Sinta o ardor

Quando Jesus concluiu o que hoje conhecemos como o Sermão do Monte, "a multidão ficou maravilhada com seu ensino, pois ele ensinava com verdadeira autoridade, diferentemente dos mestres da lei" (Mt 7.28-29).

Esses "mestres da lei", que representavam os demais líderes religiosos da época de Jesus, só podiam ensinar o que lhes havia sido ensinado por outra pessoa. Suas palavras não tinham peso por si mesmas. Esses homens precisavam se referir aos escritos e ensinamentos uns dos outros para convencer seus discípulos das mensagens que estavam tentando transmitir.

Mas quando Jesus falava... *uau!*

Poder. Autoridade.

Era diferente.

Ele não precisava de referências nem de cartões ilustrativos para afirmar a validade de sua mensagem. Seu ensino se autenticava por si mesmo, causando espanto naqueles que o ouviam. Por quê? Porque chegava aos ouvidos com uma autoridade que só poderia vir de Deus. Repetidamente nas Escrituras, vemos a multidão seguindo-o, compelida por suas palavras, tão reconfortantes e irresistíveis.

Tão cheias de autoridade.

Após sua morte, em Lucas 24, vemos dois homens viajando pela estrada para Emaús e falando sobre o evento mais importante de seu tempo: o julgamento, a crucificação e o sepultamento de Jesus. Estavam tão envolvidos na conversa que, quando um estranho se aproximou e se juntou à discussão, não reconheceram que era justamente aquele sobre cujas experiências comentavam.

Contudo, mais tarde, depois que Jesus se sentou para jantar com eles, revelando-se como o Cristo antes de desaparecer milagrosamente diante deles, esses dois refletiram e admitiram que, mesmo no primeiro encontro com ele — na estrada, no calor do dia e do momento —, a voz dele havia provocado neles uma reação imediata e interior.

Quando Deus fala, sua voz é perceptível por sua ressonância, profundidade e impacto. Ela pulsa com uma força tranquila e constante que deixa uma clara impressão na alma. "Arde como fogo", como descreveu o profeta Jeremias (20.9); é o "martelo que despedaça a rocha" (23.29). Assim como os discípulos a caminho de Emaús, você é levado à calmaria enquanto reflete sobre o que viu e ouviu.

A verdade é que você pode distinguir a voz de Deus de qualquer outra voz pela poderosa influência que ela exerce em sua alma.

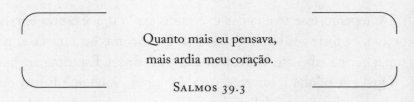

Quanto mais eu pensava,
mais ardia meu coração.

SALMOS 39.3

A Palavra se fez carne

E, no entanto, é mais do que um simples sentimento. A voz inquestionável de Jesus não é meramente uma sensação de ardor que o acorda no meio da noite, um pensamento cauterizante que surge em sua mente. Muitas vezes, sua voz inquestionável vem com o contexto das Escrituras ou envolvida nele.

Isso, novamente, é mais uma razão pela qual debruçar-se sobre a Palavra de Deus é tão vital para discernir sua voz. Quanto mais Escrituras você guardar no coração — quanto mais ler, reler e meditar em suas verdades com frequência e diligência, mais oportunidades dará ao Espírito Santo para trazê-las rapidamente à mente, pontuadas em um momento específico com uma mensagem personalizada para você. A Bíblia não apenas oferece os limites nos quais tudo o que ele diz se encaixará, mas é o principal mecanismo por meio do qual Deus falará.

Vivenciei isso em uma ocasião em particular quando decidi dar alguns presentinhos a um grupo de amigas, não porque fosse Natal ou algum feriado oportuno, mas... apenas porque adoro dar presentes. Eu realmente pensei que isso seria um mimo para a vida dessas mulheres especiais.

Logo após tomar essa decisão, no entanto, acabei por ler Mateus 6, em que Jesus disse a seus seguidores: "Mas, quando ajudarem alguém [...] não deixem que a mão esquerda saiba o que a direita está fazendo. Deem sua ajuda em segredo, e seu Pai, que observa em segredo, os recompensará" (v. 3-4). Eu já havia lido esse trecho muitas vezes, naturalmente, mas não quando estava bem no meio da busca pelo presente perfeito para "ajudar alguém".

De repente, esse trecho das Escrituras expôs o que estava em meu coração, e a forte voz inquestionável de Deus começou a me fazer perguntas que eu sabia que vinham diretamente de seu Espírito para mim.

Qual era minha motivação para dar esses presentes? Eu só queria mesmo fazer uma delicadeza para essas minhas amigas? Ou era mais porque queria impressioná-las e chamar a atenção para mim?

> *Às vezes, desejamos um sinal pintado nos céus com cores primárias vibrantes que nos digam no mesmo instante o que fazer.*

A Palavra de Deus, "viva e poderosa", estava "penetrando entre a alma e o espírito", discernindo meus "pensamentos e desejos mais íntimos" (Hb 4.12).

Enquanto eu orava a respeito, de repente, toda a paz que havia sentido com relação a esse pequeno agrado simplesmente desapareceu. O Espírito havia me convencido poderosamente de que minha carne havia entrado em cena, querendo um pouco de reconhecimento e afirmação. Pelo menos nessa ocasião, meu desejo de dar esses presentes — pude ver claramente agora — era um modo de tomar para mim a glória que pertence apenas a Deus.

Isso é a iluminação das Escrituras. Um livro atemporal que oferece direção específica, relevante e inquestionável para nos abençoar e nos guiar hoje. Isso vai além do que é poderoso — é sobrenatural.

Às vezes, desejamos um sinal pintado nos céus com cores primárias vibrantes que nos digam no mesmo instante o que fazer, algo miraculoso que defina claramente qual é a vontade de Deus. Queremos um relâmpago dentro de uma garrafa, mas temos o relâmpago na Bíblia, no tesouro maravilhosamente belo, pessoalmente instrutivo e sempre disponível de sua eterna Palavra viva.

A autora e palestrante Jill Briscoe conta a história de que estava na Inglaterra, perguntando-se se deveria entrar em alguns dos barzinhos locais para conversar com os jovens que estavam por ali. Ela estava preocupada com sua reputação. Preocupada com o que as pessoas pensariam se a vissem entrando em um estabelecimento desse tipo.

Mas, enquanto se debatia sobre o que fazer, o Espírito, de repente e com autoridade, trouxe à sua mente o trecho de Filipenses 2 que fala que Jesus "esvaziou a si mesmo", abrindo mão de suas prerrogativas divinas. A energia pura da Palavra de Deus, falando diretamente em relação à pergunta e situação de Jill, falou com clareza à sua alma. Era como se Deus lhe estivesse perguntando: "Por que você está preocupada com sua reputação? Nem *eu* fiquei preocupado com a minha!".

Ela soube o que fazer.

Ela foi em frente.

Foi conquistada pela autoridade de Jesus.

Quando você está nas Escrituras, não deve apenas ficar de olho nos mandamentos do que pode ou não pode fazer e marcar como feita a leitura de seu cronograma. Essas coisas são importantes, naturalmente, mas estou sugerindo que é preciso haver um ajuste de seus ouvidos espirituais para perceber o momento em que uma passagem chama sua atenção de uma maneira quase impressionante, direcionando imediatamente seus pensamentos para uma circunstância pessoal a que ela se aplica. Quando isso acontece, é muito provável que Deus esteja falando.

Pergunte a si mesmo: Por que esse versículo está falando comigo de forma tão direta neste momento? O que isso significa? Deus tem uma razão para me colocar neste código postal em particular das Escrituras neste dia em particular, quando estou bem no meio desta circunstância em particular?

Levei um número considerável de anos como cristã para perceber essa realidade impressionante que está à disposição de todo cristão. Quando a Palavra de Deus salta da página e *chama* sua *atenção* — quero dizer, deixa-o atordoado como se tivesse acordado de um sono com o estrondo de um trovão —, não tenha pressa em seguir com sua leitura bíblica. Pare no mesmo instante. Concentre-se nessas palavras que já prenderam os olhos de sua alma. Não se trata de coincidência ou ocorrência aleatória. É o próprio Deus falando por meio de sua Palavra. É a Palavra viva de Deus em ação.

Falando com autoridade.

Quando um versículo das Escrituras ou sua mensagem fala com você do nada enquanto está no meio de seu dia, não o despreze. Acredite que o Espírito Santo está agindo em seu íntimo, falando a Palavra de Deus para você sobre o que ele precisa que saiba naquele momento, o que ele deseja que sejam suas próximas ações.

Toda vez que você abre a Bíblia ou se senta para aprender com ela, Deus lhe dá sua revelação geral. Muitas vezes, porém, ele pode optar por lhe dar uma mensagem específica claramente relacionada às circunstâncias que você está enfrentando no momento. São como aqueles momentos em que você está sentado na igreja, o pastor está entregando uma mensagem da Palavra e, de repente, você sente como se fosse a única pessoa no salão, como se ele tivesse se levantado naquela manhã, feito o estudo bíblico e decidido que queria falar diretamente com você sobre sua situação, na frente de todas aquelas pessoas.

Minha Bíblia está repleta de anotações e lembretes — com datas escritas ao lado de passagens nas quais o Espírito Santo entregou e revelou especificamente o plano do Pai para mim, inundando-me de sua paz e afirmação e assegurando-me que ele me guiaria para segui-lo exatamente naquela direção.

Na semana passada, eu estava um pouco arrasada com a pressão que vinha sentindo. Havia três — vamos lá: um, dois, três — problemas específicos que estavam me afligindo. Era como se eu estivesse cambaleando sob o peso do fardo dessas dificuldades, e orei especificamente para que Deus me desse sabedoria para lidar com eles e forças para isso. Minha leitura de estudo da Bíblia naquela manhã em particular foi 2Crônicas 20.12, em que o rei Josafá orou: "Ó nosso Deus [...] Não temos forças para lutar com esse exército imenso que está prestes a nos atacar. Não sabemos o que fazer, mas esperamos o socorro que vem de ti". Comecei a sentir o suave consolo do Espírito de Deus me envolver enquanto esse versículo se tornava uma oração pessoal de meu próprio coração, e comecei a focar minha atenção em Deus, como instruía essa passagem. Intrigada, voltei ao início da seção das Escrituras para ler mais, e fiquei rapidamente fascinada com o fato de que o "exército imenso" pelo qual Josafá estava orando era composto por três — isso mesmo — exércitos diferentes. Eu sabia que Deus estava usando sua Palavra para falar diretamente comigo.

Precisamos mudar o que pensamos a respeito da Bíblia caso a consideremos um livro de regras estagnado a ser consultado por número de página e parágrafo. Não é apenas um livro antigo com muita teologia para assimilarmos. É um fato: Deus já não se dedica a revelar novas doutrinas. O cânone das Escrituras está completo. No entanto, uma vez que é vivo, o Livro se aplica a nós novamente e de forma renovada em cada geração. A autora Joyce Huggett expressou isso desta maneira: "Ouvir a voz de Deus hoje não tem nada a ver com 'o novo', mas com 'o agora'".

A Palavra de Deus é viva. Ao lê-la, você deveria sentir o ar quente da respiração de Deus subindo da página à medida que o Espírito a aplica à sua situação em particular, por mais específica ou pessoal que seja. Ao ler a Bíblia com a expectativa santa de que ouvirá a Palavra viva, você convida a confirmação da paz que acredita sentir no íntimo. Você abre seu coração para receber o conselho de Deus e deixar que a direção dele ilumine seus próximos passos. Você prepara um solo fértil para que ele plante uma mensagem precisa nos recônditos de seu ser.

Uma vez que é vivo, o Livro se aplica a nós novamente e de forma renovada em cada geração.

Minha amiga e mentora Anne Graham Lotz disse certa vez: "Nunca tomo uma decisão importante na vida, especialmente uma que afetará outra pessoa, antes de receber direção de Deus". Sim, eu esperava que ela dissesse isso. Sinto a convicção de que devo esperar o mesmo de mim. Mas o que penetrou meu coração foi o que ela me disse em seguida: que para cada decisão importante que tomou na vida, há um versículo específico das Escrituras que ela pode identificar como aquele que Deus usou para direcioná-la pessoalmente. "Quando as circunstâncias me teriam feito duvidar de uma decisão", disse ela, "a Palavra de Deus me sustentou. E ele nunca me guiou por um caminho errado."

Isso é poderoso.

> As coisas não mudam quando falo com Deus; as coisas mudam quando Deus fala comigo. Quando eu falo, nada acontece; quando Deus fala, o universo passa a existir.
>
> Bob Sorge

Eu o ouço

Se estivéssemos conversando em uma cafeteria neste exato momento, você poderia me dizer que está desesperado para conhecer a vontade de Deus, como se sente quase aprisionado pela dúvida e incerteza, como tem medo de dar um passo em qualquer direção porque não tem certeza se é a que Deus o está guiando a dar. Você deseja ouvir a voz de Deus e receber sua direção. E, no entanto, a julgar pelas aparências, parece que Deus está se escondendo de você — forçando-o a fazer algo do tipo "tentativa e erro", ao acaso. O peso de sua busca e a paralisia de não entender por que ele está tão silencioso o estão sobrecarregando, roubando toda a sua alegria e confiança.

Bem, sim, o Senhor espera que você coopere enquanto ele santifica seu corpo e alma. Ele precisa de você em sua Palavra para que você possa se posicionar no ponto de junção, o ponto em que as linhas de comunicação dele viajam da forma mais livre e frequente possível. Esse negócio de "orar sem cessar", de permanecer efetivamente ciente da presença de Deus de manhã à noite de um dia comum, é fundamental para manter seus ouvidos abertos, e seu coração, receptivo.

Mas aqui está o que eu gostaria de incentivar em você — a mensagem mais importante deste capítulo, talvez deste livro. Tente nunca se esquecer dela. Aqui está...

Não há código para você decifrar. Não há quebra-cabeça que ele espera que você monte. Não há um bastão que ele está balançando em sua visão periférica e depois, quando você vira a cabeça para olhar, ele o retira. Ele não está sentado lá no céu com as câmeras ligadas e os cronômetros medindo o tempo, testando se você está espiritualmente alerta o suficiente para descobrir o próximo passo que ele deseja que você dê.

Deus assumiu para si a responsabilidade de se comunicar com você. É por isso que cuidou para que sua Palavra estivesse viva. E é por isso que, no momento oportuno, quando você estiver ouvindo, quando estiver paciente, quando estiver confiando, a voz dele ressoará com poder, impacto e autoridade.

Posso lhe assegurar — pelas evidências das Escrituras, pelos séculos de relatos de homens e mulheres que o seguiram, mesmo pela experiência limitada de minha própria vida — que ele falará. E você saberá. Quando a Bíblia fala que temos liberdade em Cristo, isso é, pelo menos, parte do glorioso privilégio e abundância espiritual que podemos desfrutar pela graça de Deus. Não há necessidade de se sentir sobrecarregado ou paralisado pelo medo de não estar na vontade de Deus. Se você o está buscando e sendo obediente ao que ele colocou à sua frente hoje, então *você está* nos propósitos dele por ora, e isso é tudo que ele está pedindo de você e de mim.

> *Deus assumiu para si a responsabilidade de se comunicar com você.*

É por isso que não saio mais por aí, ensandecida, à procura da vontade de Deus. Eu apenas busco diligentemente a Deus. Acredito, por meio de sua Palavra, que compete a ele me mostrar o que deseja que eu faça e como devo fazê-lo — que se meu foco for manter meus ouvidos espirituais abertos, ouvirei sua voz quando ele falar.

Você também o ouvirá.

Ele falará de forma persistente. Falará de modo pessoal. Falará com paz. Falará com um desafio. E reunirá tudo isso no conselho eterno de sua verdade até que sua mensagem ecoe em você com a autoridade enviada dos céus.

Essa é a voz de Deus.

Desafios do capítulo

- Espere que a voz de Deus ressoe com uma autoridade e peso que outras influências não têm.
- Reconheça que as Escrituras não são apenas os limites nos quais tudo o que Deus disser se encaixará, mas são, em si mesmas, o principal veículo por meio do qual ele falará.
- Esteja atento ao que o Espírito personalizar nas Escrituras para você, fazendo que tenha conexão com suas circunstâncias atuais.
- A responsabilidade de conhecermos a vontade de Deus recai principalmente sobre ele. Não se sinta sobrecarregado pelo medo do fracasso nem paralisado por "não saber". No momento certo, ele revelará sua vontade.
- Se está sendo obediente em relação às responsabilidades que ele colocou à sua frente hoje, você está na vontade dele para sua vida.

PARTE 3

Lembre-se do que ele deseja realizar

11
O melhor é conhecê-lo

Darei a eles coração capaz de reconhecer que eu sou o Senhor.

Jeremias 24.7

É impossível esgotar as possibilidades de resposta à pergunta: "Como é a voz de Deus?". Deus falou muito conosco em sua Palavra e por meio de seu Espírito, mas a verdade é que somente o céu revelará a amplitude e o alcance do que significa ouvir a voz de Deus.

Na última seção, examinamos *como* ele fala, mas ele é demasiadamente vasto e surpreendente para ser apreendido em alguns capítulos, mesmo em alguns milhões.

Podemos ficar presos nos detalhes de como ele fala, mas acredito que um dos "segredos" de ouvir sua voz está simplesmente em reconhecer *por que* ele falaria. Quais são seus objetivos? O que ele deseja realizar? As respostas a essas perguntas são diametralmente opostas às do inimigo. Assim, quanto mais claros formos com relação ao "porquê", mais claramente poderemos separar a voz de Deus das outras.

Encontramos uma das respostas mais importantes para essa pergunta quando consideramos os objetivos que estavam no coração de Deus desde o início dos tempos. Tecido ao longo da Bíblia — desde o Antigo até o Novo Testamento — está seu desejo de ter amizade com seu povo, uma amizade na qual não apenas é conhecido, mas experimentado de alguma forma. No Antigo Testamento, havia uma barreira entre Javé e seus seguidores, uma vez que somente o sumo sacerdote tinha acesso a ele uma vez por ano, no Dia da Expiação — o dia mais importante no calendário religioso de Israel —, quando sacrifícios eram oferecidos para expiar os pecados do povo. Mesmo durante esse tempo, Javé ainda se fez conhecido a pessoas comuns como Gideão e Samuel, e respondeu à oração de Ana. Quando Jesus foi crucificado, o véu do templo se rasgou literalmente, simbolizando o acesso ímpar que todas as pessoas poderiam ter a Deus. A barreira foi removida.

Ele foi ainda mais longe ao pôr seu Espírito naqueles que creem para que possam conhecê-lo de formas mais pessoais do que nunca.

Isso significa que tudo o que ouvimos de Deus terá por objetivo glorificá-lo e revelar sua natureza para nós. Absolutamente nada que ouvimos de Deus por meio do Espírito Santo será contrário à sua natureza ou Palavra, nem tentará diminuir nossa intimidade com ele. Sua palavra pessoal para nós, inevitavelmente, revelará quem ele é.

> *Deus não só deseja que recebamos informações que se apliquem à nossa vida, mas também que reconheçamos mais sobre quem ele é.*

Por outro lado, nosso inimigo — o pai da mentira — tentará nos enganar de qualquer maneira possível. Quando ele falar conosco, reconheceremos *sua* voz porque ele distorcerá o caráter e a Palavra de Deus. Qualquer coisa que você ouvir que não engrandeça e enfatize o caráter de Deus não é uma mensagem de Deus.

Quando Deus fala e faz que você o ouça com seus ouvidos espirituais, ele tem o propósito de se dar a conhecer a você. E não apenas de maneira teórica. Ele deseja transformar aquilo que você sabe dele em sua experiência com ele. Portanto, quando ele falar, você reconhecerá a voz dele porque, ao seguir as instruções dessa voz, você será colocado na posição de experimentar o caráter de Deus em sua vida.

O inimigo, seu ego ou até mesmo sua própria mente muitas vezes irão levá-lo pelo caminho que lhe dará proteção, mantendo-o em sua zona de conforto. A voz de Deus, no entanto, revelará um atributo divino que está à sua disposição para experimentar. Ele o incentivará a seguir por *esse* caminho — aquele que mais claramente o fará descobrir e experimentar pessoalmente um atributo de Deus.

O principal objetivo do Espírito é glorificar o Pai (Jo 16.14), então sua mensagem para você alcançará esse objetivo em algum nível, levando-o a ver o Senhor exaltado e conduzindo-o a um relacionamento mais íntimo com ele. Assim, ele o conduzirá a lugares onde você poderá experimentá-lo de maneiras novas e mais profundas.

Tomemos Nancy e Jeff como exemplo. Quando houve o furacão Katrina, os fortes ventos e as inundações destruíram completamente a casa deles na Louisiana, poupando-lhes a vida, mas não sua propriedade nem seus bens. Como muitos, ficaram se perguntando o que fazer a seguir, como (literalmente) juntariam os cacos e reconstruiriam a vida.

E, apesar disso, não conseguiram ignorar o fato de que ambos estavam ouvindo uma mensagem desafiadora de Deus para ignorar seus recursos limitados e começar a se aproximar das famílias ao redor que haviam perdido entes queridos na tempestade. Não, não parecia racional. Não seguia logicamente o profundo sentimento de perda pessoal e aflição que estavam vivenciando. Mas Deus foi persistente enquanto o buscavam por meio da oração e das Escrituras. Eles perceberam que, se quisessem conhecê-lo de uma maneira totalmente nova, esse seria o lugar para fazê-lo. Bem ali. Sem um teto sobre sua cabeça nem um dólar a mais na poupança cada vez menor.

Enquanto ministravam pessoalmente a dezenas de famílias desoladas durante aqueles meses e anos difíceis após a fúria do Katrina, Deus milagrosamente lhes providenciou moradia gratuita e oportunidades de emprego que restabeleceram sua posição financeira antes comprometida. Eles se tornaram as mãos e os pés de Deus no local de um desastre histórico, ajudando os necessitados de maneira muito prática, e ele se tornou o guardião e provedor que talvez nunca teriam conhecido se tivessem resistido à voz de Deus e concentrado todas as energias em amenizar os próprios problemas. Ele se tornou para eles *Javé-Rohi*, "Deus, nosso pastor".

Não sabiam disso naquele momento só porque haviam lido na Bíblia. Eles *sabiam* por meio de sua própria experiência.

Quando fala, Deus não só deseja que recebamos informações que se apliquem à nossa vida, mas também que reconheçamos mais sobre quem ele é. Mesmo a salvação em si, que obviamente vem com um pacote de benefícios celestiais e toneladas de vantagens inestimáveis, na verdade tem a ver com uma coisa: conhecer a Deus. "E a vida eterna é isto:", disse Jesus enquanto orava ao Pai, "conhecer a ti, o único Deus verdadeiro, e a Jesus Cristo, a quem enviaste ao mundo" (Jo 17.3). No idioma original, a palavra "conhecer" é *ginosko*, que está relacionada com a familiaridade adquirida por meio da experiência — o tipo de conhecimento pelo qual o próprio Jesus orou para que possuíssemos, o resultado de uma experiência de quem ele é.

Ele não deseja apenas que você o *ouça*. Deseja que o *experimente* — que o experimente para que possa *conhecê*-lo.

É por isso que ele fala: para lhe revelar mais sobre si mesmo, para que seu relacionamento com ele deixe de ser acadêmico e se torne experiencial à medida que você ouve a instrução dele e responde com obediência.

Portanto, conhecê-lo e se relacionar pessoalmente com Deus não é apenas algo que você faz que lhe permite ouvir melhor a voz dele (como já discutimos). Quando Deus o colocar em uma situação desafiadora, encare-a como um sinal de que ele será glorificado — e que você passará a conhecê-lo de maneira mais profunda. Porque ele estará no desafio com você.

E você o conhecerá ainda melhor do outro lado.

> Um pouco de conhecimento de Deus vale mais do que muito conhecimento sobre ele.
>
> J. I. Packer

Mais do que um nome

Nas Escrituras, o nome das pessoas muitas vezes representa algo específico sobre seu caráter ou sua história. Quando Deus deu a

Ana um bebê depois de anos de orações fervorosas, "ela lhe deu o nome de Samuel, e disse: 'Eu o pedi ao senhor'" (1Sm 1.20). Davi, o "homem segundo o coração [de Deus]" (1Sm 13.14), é um nome hebraico que significa "amado". O nome que deram ao Filho encarnado de Deus neste mundo — Jesus — significa "Javé é salvação".

Da mesma forma, a Bíblia utiliza muitos nomes como referência a Deus para nos ajudar a saber coisas específicas sobre ele. Circunstâncias diferentes evocam nomes diferentes que descrevem seu caráter. Jerry e eu vimos Deus nos surpreender com seu favor e suas bênçãos financeiras inesperadas, então nós o experimentamos como *Javé-Jiré*, "Deus, nosso provedor". Ele se revelou como *El-Shaddai*, "o Deus completamente suficiente". Já sabíamos disso por meio das páginas das Escrituras e pelo testemunho de outros, mas agora sabíamos por nós mesmos.

> *É por isto que ele fala: para nos levar a encontrá-lo de uma maneira que, normalmente, talvez não tivéssemos o privilégio de ver nem de fazer parte.*

Outra de nossas amigas — vou chamá-la de Márcia — está experimentando Deus em uma situação que parece completamente sem esperança. Se houvesse uma parte inocente em um processo de divórcio, seria ela. Seu marido, a última pessoa do mundo que você imaginaria ser infiel à esposa, seguiu uma das mentiras favoritas e mais previsíveis de Satanás: a ilusão de obter satisfação no adultério. E, ainda fortemente influenciado por esse engano, manifestou que tinha intenção de se divorciar. A dissolução do casamento dos dois está em andamento. Márcia, sem dúvida, tem bases bíblicas amplas para ver o fim disso e admite ter dias em que não vê a hora de estar livre de toda essa situação.

Mas não será hoje. Ultimamente, enquanto ela abre o coração diante de Deus e ouve a resposta dele, ele a tem levado a fazer algo que ela não está nem um pouco interessada em fazer. Ele está confirmando que sua vontade para ela durante essa fase dolorosa da vida é continuar a orar pelo marido, crendo que ele voltará para o lar e a família deles.

Isso é loucura, não é? Pode ser, a menos que, como ela disse outro dia: "Eu sei que se continuar a orar por ele, e não simplesmente lavar minhas mãos, poderei experimentar Deus de uma maneira que nunca experimentei e talvez nunca tenha a oportunidade de experimentar se não for assim". Isso pode ou não funcionar da maneira que ela deseja. Mas, de qualquer forma, ela seguirá com a vida segurando firmemente a mão de *Javé-Nissi*, "o Senhor, nossa bandeira", de *El-Berite*, "Deus da aliança". É impossível dizer quais atributos de Deus ela virá a conhecer ao obedecer à direção dele nessa área.

O inimigo nunca pediria que você fizesse algo assim — nunca exigiria que você confiasse mais plenamente em Deus, que dependesse dele de forma tão desesperada e completa. Nunca desejaria que você conhecesse a Deus em níveis de proximidade e intimidade que podem muitas vezes só ocorrer nas circunstâncias mais difíceis. Não o levará a uma situação em que você experimentará a manifestação de Deus de maneira mais tranquila e poderosa do que nunca. A possibilidade de você conhecer melhor a Deus por meio de circunstâncias desafiadoras, sem dúvida, não faz parte do plano do inimigo. Na verdade, ao responder com obediência a Deus e maior intimidade com ele você está de fato frustrando os propósitos de Satanás.

Então, o que Deus fará para nos aproximar dele? Ele dirá a Noé para construir uma arca a fim de protegê-lo com sua família na "chuva". Dirá a Abraão para sacrificar seu amado filho Isaque. Dirá a Gideão que a libertação virá com uma mera tropa de trezentos soldados. Dirá aos discípulos para lançarem as redes do outro lado do barco quando já passaram a noite inteira pescando sem sucesso.

É por isto que ele fala: para nos levar a encontrá-lo de uma maneira que, normalmente, talvez não tivéssemos o privilégio de ver nem de fazer parte.

> Quando vier o Espírito da verdade, ele os conduzirá a toda a verdade. Não falará por si mesmo, mas lhes dirá o que ouviu e lhes anunciará o que ainda está para acontecer. Ele me glorificará porque lhes contará tudo que receber de mim.
>
> João 16.13-14

Tudo o que puder me ajudar a conhecê-lo

A história conhecida do personagem do Antigo Testamento, Jó, é lembrada com mais frequência por causa do sofrimento extremo e das dificuldades que ele suportou, aparentemente sem motivo. E, não obstante, se puder se distanciar um pouco dos relatos e descrições das várias provações de Jó — até onde a visão seja um pouco mais ampla e panorâmica —, você verá que as perdas e aflições dele não são a trama principal aqui. Uma das razões pelas quais Deus permite esses acontecimentos na vida de Jó não foi para prejudicá-lo ou castigá-lo, mas para permitir que aquele homem o *conhecesse*.

Essa realidade atinge um ápice dramático quase no final do livro, em que, após suportar uma fase intensa de dificuldades e tolerar alguns conselhos duvidosos de amigos, o coração de Jó finalmente estava preparado para ouvir algumas coisas que talvez não estivesse pronto para receber antes, mesmo sendo descrito como um homem "íntegro e correto" (Jó 1.1).

Foi nesse momento que Deus falou — para se fazer conhecido.

Diante das difíceis circunstâncias de Jó, Deus pintou um retrato de si mesmo para que Jó pudesse vê-lo como ele é. Por meio de uma série de perguntas diretas, Deus revelou todas as coisas sobre si mesmo que Jó precisava saber: seu poder. Justiça. Onisciência. Soberania.

E Jó entendeu a mensagem. Uma vez privado de grande parte do que dava significado e satisfação à sua vida, ele pôde dizer a Deus nesse momento: "Antes, eu só te conhecia de ouvir falar; agora, eu te vi com meus próprios olhos" (Jó 42.5).

Jó tinha conhecimento *sobre* Deus. Mas agora, pelas palavras de Deus, ele pôde *conhecê*-lo.

É precisamente isso que Deus quer, e ele permitirá as medidas necessárias para que isso aconteça. Portanto, se o que você está passando neste exato momento é confuso, desafiador, doloroso, delicado, cansativo, embaraçoso ou até mesmo superinteressante, o objetivo de tudo isso é ajudá-lo a ouvir a voz de Deus em meio a toda essa situação. Mesmo que esteja frustrado com o que parece ser uma indiferença de Deus enquanto você espera em aparente silêncio pela direção dele, até o silêncio pode muitas vezes ser o meio escolhido por ele para levá-lo a se aproximar dele de uma maneira que, se não fosse assim, você não faria. O silêncio de Deus pode criar uma fome santa em seu coração que talvez você não tivesse de outra forma. Então, não fique frustrado com o que está experimentando. Essa jornada vale a pena — até mesmo *essa* parte dela — se o capacitar de maneira mais plena para experimentar Deus.

> *O objetivo de Deus em sua vida é levá-lo de um conhecimento mental a um conhecimento experiencial dele.*

O objetivo de Deus em sua vida — assim como na de Jó — é levá-lo de um conhecimento mental a um conhecimento experiencial dele. Pois sem o conhecimento experiencial da natureza de Deus, sua obediência se torna mais difícil, talvez até impossível. Quanto mais você sabe e acredita ser verdadeiro sobre quem Deus é e o que ele pode fazer, mais disposto você se torna a confiar nele, a se submeter a ele e a deixar que o guie à vontade dele.

Mas Deus é pessoal, lembra? O que ele requer de uma pessoa não é necessariamente o que requer de outra. Ele o conhece intimamente — muito mais do que você conhece a si mesmo. Ele sabe *exatamente* do que você precisa para experimentá-lo de maneira mais plena e completa, e você pode confiar que ele irá conduzi-lo pelo som da voz dele a esses lugares, circunstâncias e eventos nos quais você estará em melhores condições de caminhar com uma verdadeira intimidade com o Deus que ama sua alma. Então, ao buscar discernir a direção de Deus, pergunte a si mesmo: *Qual opção fará que Deus seja mais glorificado e me capacitará a conhecê-lo de uma maneira que, em outras circunstâncias, eu talvez não pudesse conhecê-lo?*

Quando estiver diante de escolhas que não esperarão pela clareza que você está buscando, assuma em oração que ele o está conduzindo a tomar o caminho no qual ele será mais glorificado e o levará à experiência mais profunda com ele. Em alguns casos, sim, pode não ser o caminho mais fácil. Mas, ao ter a certeza de que ele o está preparando para que o conheça melhor no processo, você também pode ter a certeza de que ele o sustentará à medida que avançar com ele.

Essa é a "razão" pela qual ele o está conduzindo dessa maneira.

Conhecer a Deus é o grande objetivo e aventura da vida. O convite para que você tenha uma comunhão mais íntima com ele sempre será uma das principais razões de Deus para conduzi-lo em uma direção ou outra.

Não apenas esteja atento para ouvi-lo. Esteja atento para conhecê-lo.

Desafios do capítulo

- Ao discernir a voz de Deus, considere qual opção lhe trará mais glória e o conduzirá a um relacionamento mais experiencial com ele.
- Identifique e desconsidere a alternativa que diminui o caráter de Deus ou o impedirá de depender dele de maneira mais plena.
- O silêncio aparente de Deus muitas vezes é o meio que ele escolhe para se comunicar. Não fique frustrado enquanto espera. Considere o que Deus talvez esteja tentando lhe dizer por meio do silêncio.

12
Parece um plano

Pois somos obra-prima de Deus, criados em Cristo Jesus a fim de realizar as boas obras que ele de antemão planejou para nós.

Efésios 2.10

Kimberly é mãe de quatro filhos. Anos atrás, ela sentiu que o Senhor a estava conduzindo a ministrar para mulheres. Seu maior desejo era que Deus criasse oportunidades para que ela falasse com outras mulheres em conferências por todo o país.

Assim, você pode imaginar como ela ficou frustrada por não receber muitos convites para fazer o que realmente queria fazer em sua vida, aquilo que achava que Deus a havia levado a realizar. Mesmo com um folheto bonito impresso e uma lista de envio direcionada, ela não estava obtendo o tipo de resposta que lhe permitisse relaxar e se dedicar completamente a isso.

Enquanto isso, a filha de dezesseis anos de Kimberly era social. E a casa delas era um lugar onde as amigas da adolescente sempre se sentiam acolhidas e à vontade. Durante muitos desses momentos de diversão juntas, Kimberly se viu envolvida em conversas com aquelas meninas que não raro levavam a assuntos espirituais.

Um dia, enquanto orava e meditava na Palavra, Kimberly percebeu que, embora seu desejo de ir de cidade em cidade como líder do ministério de mulheres ainda não tivesse se concretizado, Deus estava trazendo à sua sala de estar jovens mulheres ávidas por intimidade com o Pai. Ele estava abrindo os olhos de Kimberly para ver que ele tinha um plano e estava a ponto de levá-lo para dentro da própria casa dela!

Hoje, ela tem um ministério próspero para mulheres, exatamente como sempre pensou que Deus tinha dito que teria. Mas, em vez de seguir seus próprios planos, ela está seguindo os planos de Deus. A cada semana, sua sala de estar se enche de jovens adolescentes que aguardam cada palavra de Kimberly enquanto ela ministra a Palavra de Deus. Quando ela aceitou o convite para se juntar a Deus em sua obra, ele a capacitou para experimentar seu poder nas atividades dela.

Por que Deus fala? Não apenas para nos conduzir a uma experiência com ele, mas também para permitir que façamos parte das experiências que ele preparou há muito tempo. Ele tem planos e deseja que façamos parte da realização deles.

Muitas vezes, ele faz isso ao abrir nossos olhos espirituais para que nos tornemos conscientes da atividade dele no mundo. Quando isso acontece, esse é o convite para nos juntarmos a Deus em seus propósitos para o reino, tanto para nossa própria vida quanto para os desígnios desta geração.

Ver a mão de Deus em ação é o mesmo que ouvir a voz de Deus.

> Nada agrada mais a Deus do que quando pedimos aquilo que ele deseja nos dar. Quando passarmos tempo com ele e permitirmos que suas prioridades, paixões e propósitos nos motivem, pediremos coisas que estão mais próximas do coração dele.
>
> Bruce Wilkinson

O plano de Deus com seu nome nele

Quando pensamos a respeito, a beleza da vida de Jesus nesta terra não foi o simples fato de ter feito a vontade de seu Pai, mas sim de ter feito a vontade de seu Pai *e nada mais*. Mesmo sendo o Filho vivo de Deus, ele não inventou novas ideias nem iniciou algo novo por conta própria. Entendeu um princípio que muitas vezes esquecemos: o verdadeiro sucesso em qualquer tarefa só pode acontecer quando o Pai inicia a atividade e nos convida a participar. E uma razão pela qual Jesus pôde se envolver completamente nas atividades que lhe foram dadas por seu Pai é que ele não havia desperdiçado tempo, energia e esforço em tarefas secundárias.

Mesmo antes de você e eu nascermos, Deus tinha um plano para nossa carreira profissional, nossas finanças, nossa família, nosso tudo. Ele sempre soube o que deseja fazer conosco. Muitas vezes, ficamos tão sobrecarregados e envolvidos com atividades que *não fazem* parte de seus planos que não nos resta motivação para participar daquelas que ele *designou* para cumprirmos. E nós, como seus filhos, somos os mais abençoados, os mais realizados e os mais eficazes quando estamos envolvidos com aquilo que ele nos pôs nesta terra para fazer. Seus planos têm preferência sobre os nossos.

E ele nos convida a participar deles.

Quando ele fala, essa é uma grande razão por que devemos participar.

Quantas vezes você se convidou para fazer algo — começar quando quiser começar, terminar quando quiser terminar, ver como quiser ver? Não consigo nem começar a dizer quantas vezes segui adiante com meus próprios planos, em vez de esperar pelo convite de Deus. Não é de admirar que tantos deles tenham fracassado. Não eram de Deus; eram meus.

No entanto, quando sua oração constante for esta: "Senhor, abra meus olhos para ver onde estás trabalhando", o Espírito Santo que habita em você permitirá que veja a ação de Deus e ouça a voz convidativa dele, para que veja a obra e responda à direção dele para se envolver. Mais uma vez, lembre-se de que Jesus prometeu: "Quem quiser fazer a vontade de Deus saberá" se é a voz dele que está guiando ou algo diferente (Jo 7.17).

Então, não devemos apenas considerar se conseguiremos *ouvi*-la, mas também se a *aceitaremos*. Abriremos mão de nossos próprios planos e seguiremos os de Deus? Deixaremos espaço para que ele nos peça para fazer algo diferente do que havíamos considerado?

Quando meu pastor olhou para mim do outro lado da mesa em uma reunião um dia e disse: "Priscilla, quero que você coordene a conferência de mulheres na igreja", fiquei empolgada.

Eu sabia que esse ministério precisava ser revitalizado. Então, fiquei emocionada por saber que Deus permitiria que eu tentasse reativar o entusiasmo no coração das mulheres de nossa comunidade por meio de uma conferência que incluísse adoração e ensino bíblico.

Nomeei uma comissão e começamos a fazer planos. No entanto, à medida que a notícia de nossa conferência com outro formato começou a se espalhar pela comunidade, não apenas começamos a receber aceitação entre os membros de nossa igreja, mas também interesse de muitos outros ministérios de mulheres, até mesmo de outras cidades e estados. Minha reação inicial foi manter o foco em meu plano de fazer a conferência apenas para as mulheres de nossa igreja, mas as ligações não paravam. Era cada vez mais evidente que as mulheres que não faziam parte de nossa igreja também precisavam dessa conferência.

> *Peça a Deus que mantenha você espiritualmente alerta em cada fase da vida, para que possa perceber as ações de Deus e estar ciente da atividade dele.*

Foi assim durante seis meses. As ligações telefônicas, as consultas... o interesse pegou nossa comissão de surpresa. Não estávamos preparadas para lidar com um influxo tão grande de visitantes. No entanto, mesmo com a data se aproximando — perto o suficiente para que algumas de nossas decisões finais já estivessem sendo implementadas —, voltamos a Deus em oração para buscar sua vontade, para ver se ele de fato queria que ampliássemos nossa visão e alcance para esse novo evento.

Ele queria, mais do que nunca.

Hoje, quando a conferência de mulheres "Desperate for Jesus" [Desesperadas por Jesus] acontece no verão, milhares de mulheres de quase todas as denominações cristãs se reúnem para passar alguns dias juntas na presença do Senhor. Agora, sob a liderança de outra pessoa, o trabalho de unificação desse ministério continua a me surpreender. É a obra de Deus. Sem sombra de dúvida.

Se nossa comissão tivesse ignorado os planos de Deus enquanto buscássemos de forma obstinada ou limitada os nossos, nossa igreja poderia ter perdido uma grande oportunidade de ministrar a mulheres de todo o país — até mesmo do mundo — e de unir irmãs, superando divisões que normalmente as separariam. Muitas das amizades e relacionamentos de mentoria que surgiram a partir dessa experiência espiritual única talvez nunca tivessem se desenvolvido, pelo menos não da maneira precisa pela qual Deus escolheu para conectar mulheres de todos os estilos de vida e de todas as partes do país.

Foi realmente incrível.

Mas talvez não tão incrível quanto isto: antes de nossa comissão diretiva ter rabiscado a primeira de nossas grandes ideias em um bloco de notas para "nosso" evento — antes de qualquer uma de nós ter *nascido*, na verdade —, Deus já havia estabelecido um plano e propósito específicos para essa conferência. A pergunta que ele estava fazendo para mim era esta: Eu me uniria a seus propósitos ou continuaria firme em seguir meu próprio caminho? Certamente, ninguém é capaz de impedir a agenda do reino de Deus, mas, se tivéssemos sido relutantes em ouvir sua voz e nos submeter à sua direção, poderíamos facilmente ter deixado de fazer parte disso.

Quando você vê evidências de que Deus está agindo nas circunstâncias, e quando essas circunstâncias começam a conduzi-lo por um caminho específico, você tem o sinal para se juntar a Deus. Quando os "cinco Ms" começam a se alinhar em um convite legível — a "mensagem" do Espírito, o "modelo" das Escrituras, o "modo" de oração, o "ministério" de cristãos maduros, a "misericórdia" da confirmação —, você deve se considerar parte de algo que apenas Deus poderia conceber e realizar. Algo que ele fez antes mesmo de você nascer.

Os planos surpreendentes de Deus para você.

Quando perdeu o rastro de sua jumenta no Antigo Testamento, o jovem Saul não fazia ideia de que esse inconveniente o levaria ao profeta que o ungiria rei sobre Israel. Enquanto estava preso, o apóstolo Paulo não poderia imaginar que essa temporada na prisão se tornaria o catalisador que produziria várias cartas inspiradas por Deus às igrejas do primeiro século que ainda lemos hoje. Quando ficou viúva e sem filhos, Rute não fazia a menor ideia de que sua história seria central para a vinda do Messias.

Deus tinha um plano — muito maior do que aqueles que qualquer uma dessas pessoas poderia imaginar. E Deus ainda tem um plano — muito maior do que qualquer coisa que você poderia ter planejado, mesmo que sua vida tivesse seguido exatamente o que você sempre esperou.

Portanto, não perca tempo desejando sair da situação em que Deus o colocou. Em vez de preferir se casar a permanecer solteiro, em vez de preferir estar "acima" a estar "abaixo" na classe social, em vez de preferir uma igreja "melhor" àquela com a qual você já serve a Deus, peça a ele que abra seus olhos para os planos dele que já estão bem aqui e — ainda melhor — próximos ao coração dele.

Peça a Deus que mantenha você espiritualmente alerta em cada fase da vida, para que possa perceber as ações de Deus e estar ciente da atividade dele. Em seguida, mantenha-se disposto a ir aonde ele conduzir, porque, ao fazer isso, você está respondendo à voz de Deus.

O que ele poderia lhe mostrar se você estivesse disposto a fazer tudo o que ele quisesse?

> Se alguém quer ser meu discípulo, siga-me, pois meus servos devem estar onde eu estou.
>
> João 12.26

Tempo perfeito

Espero que você esteja começando a sentir que sua confiança está aumentando, sabendo que Deus o está convidando a se juntar a ele nos planos que predestinou para sua vida. À medida que colocar em prática todas as lições que aprendemos juntos neste processo de ouvir a voz de Deus, você perceberá que ele não o está apenas guiando em qualquer direção, mas também o está envolvendo em sua agenda do reino para este momento específico na história.

É isso mesmo. A agenda de Deus para esta era — a geração na qual você está vivendo.

Isso significa que os propósitos de Deus não apenas incluem planos específicos; incluem também um tempo específico. Ele não apenas orquestrou os eventos em sua vida, mas também o quadro cronológico no qual ocorrerão. Quando ele falar e lhe permitir vislumbrar suas ações, isso estará em harmonia com seu senso perfeito de tempo.

O que, às vezes, honestamente, pode não se alinhar com o seu.

É interessante pensar por quantos anos Isabel e Zacarias discordaram com relação ao tempo de Deus para lhes dar um filho. Nunca deixaram de orar até que os dias tivessem obviamente passado para que pudessem conceber e ter filhos. Não obstante, um dia, no meio de seus deveres sacerdotais, Zacarias viu, ao lado do altar de incenso, um anjo que lhe disse: "Sua oração foi ouvida. Isabel, sua esposa, lhe dará um filho" que "fará muitos israelitas voltarem ao Senhor, seu Deus. Será um homem com o espírito e o poder de Elias, e preparará o povo para a vinda do Senhor" (Lc 1.13,16-17).

O plano de Deus não consistia simplesmente em que tivessem um filho, mas em que tivessem *esse* filho, esse filho com uma missão especial, esse filho que viria nesse momento em particular da história para anunciar a chegada do Messias. Isabel não era velha demais para ser mãe. E Deus não havia falado tarde demais. Ele esperou até que tudo estivesse em ordem para o nascimento de seu Filho e, então, deu instruções claras e poderosas aos envolvidos.

Tempo perfeito.

Jeremias, como vimos, foi chamado por Deus quando ainda era muito jovem para ser um profeta para as nações. E ele tinha certeza de que o Senhor havia falado cedo demais. Sabia que ainda não estava pronto para ter os pés perfeitamente ajustados em sapatos espirituais tão grandes. Mas o chamado de Deus a Jeremias naquele momento era pertinente à agenda de Deus. Era o ano 627 a.C., o 13º ano do reinado de Josias em Judá. Muitos reis pecaminosos e imorais haviam liderado o povo nos anos que antecederam esse período, homens que não tinham respeito algum pelas coisas de Deus. Mas, com o aparecimento do jovem Josias na cena, as coisas começaram a mudar. O texto de 2Reis 23 registra as reformas consideráveis que ele instituiu, convocando os líderes nacionais ao templo para que queimassem seus ídolos e invocassem novamente o nome do Senhor. Josias estava determinado a transformar o cenário religioso de seu povo. Estava chamando o povo de volta a Deus.

> *Ele deixará seus planos claros para você no momento certo, mesmo enquanto faz que você continue a se sentir amado e encorajado por sua presença ao longo de todo o caminho.*

E Deus queria um homem exatamente como Jeremias para declarar a Palavra do Senhor naquele clima cultural, alguém a quem havia consagrado "no ventre" para uma missão como aquela (Jr 1.5). Jeremias não era jovem demais para o trabalho. E Deus não havia falado cedo demais. Ele deu a conhecer seus planos a Jeremias precisamente quando chegou a época para que o povo de Deus estivesse mais preparado para o ministério profético dele.

Tempo perfeito.

Mas, sinceramente, nem sempre pareceu que Deus estava operando com tempo perfeito em minha própria vida. Já fiquei de mau humor e enfurecida mais vezes do que consigo me lembrar quando precisei de clareza acerca de uma circunstância específica, mas era como se ele não estivesse dando nada. No entanto, repetidas vezes, ele me mostrou que havia escolhido esperar porque eu certamente teria arrancado a notícia de suas mãos e passado à frente dele.

Sei que se ele tivesse falado comigo dez anos antes sobre os detalhes deste ministério que me confiou agora, eu teria, impaciente, me precipitado em relação ao ministério ou fugido o mais rápido possível. Eu não estava espiritual nem emocionalmente preparada para lidar com as exigências desta obra — a obra de Deus — até o exato momento em que ele deixou sua vontade clara.

Tempo perfeito.

Jesus expressou essa ideia a seus discípulos quando disse: "Há tanta coisa que ainda quero lhes dizer, mas vocês não podem suportar agora" (Jo 16.12). Em outras palavras, há tempo para tudo em sua vida. Deus sabe qual é esse tempo. E uma vez que o Espírito de Deus habita em você, e está profundamente interessado em ajudá-lo a experimentar a plenitude dos planos que tem para sua vida, você pode simplesmente ficar atento e saber que ele deixará isso claro no momento certo, mesmo enquanto faz que você continue a se sentir amado e encorajado por sua presença ao longo de todo o caminho.

As coisas que "Deus nos tem dado gratuitamente" (1Co 2.12) são as únicas que precisamos saber *agora*. Grande parte da razão pela qual ficamos tão chateados e perturbados por não ouvir especificamente a voz de Deus é que desejamos o que não é "dado gratuitamente". Quando oramos: "Senhor, mostra-me a tua vontade", muitas vezes estamos pedindo coisas que ele sabe que não são pertinentes pelos próximos vinte anos. Desejamos que Deus pinte o quadro inteiro de imediato, mas ele, sabiamente, retém certas verdades e informações até que precisemos delas, quando podemos de fato fazer algo com elas além de simplesmente complicá-las.

O Pai lhe mostrará sabiamente apenas o que você precisa saber para participar com ele do plano e programa que ele tem para esta temporada em seu calendário. E quando ele fizer isso, entenda o seguinte: o *tempo* da mensagem será tão importante quanto a mensagem em si.

Tenha confiança nisto: se você ainda não sabe, não é preciso avançar ainda.

> Há um momento certo para tudo,
> um tempo para cada atividade debaixo do céu.
>
> ECLESIASTES 3.1

Agora

Uma década atrás, viajamos para a Terra Santa com o objetivo de ver e aprender o máximo possível sobre a história bíblica. Felizmente, tivemos como guia turístico um excelente estudioso judeu que nos deu informações incríveis em cada local. Mas lembro-me de ser muito grata por ele não apenas transmitir todas essas informações de uma vez e depois nos deixar sozinhos com nossos próprios equipamentos. Se ele tivesse feito isso, não teríamos conseguido reter o que era preciso para desfrutar de cada local que visitamos. Ao longo do caminho, em um local após o outro, ele nos dava aquilo que era preciso saber à medida que chegávamos aos lugares onde aquelas informações seriam mais úteis e valiosas. Ele foi o guia ideal.

O texto de João 16.13 descreve o Espírito Santo como um "guia", alguém que oferece direção contínua na medida daquilo que é preciso saber. "Ele os conduzirá a toda a verdade." Grande parte do sofrimento e frustração que encontrei ao discernir a voz de Deus veio do desejo de ter sua direção antes que ele estivesse pronto para concedê-la. A maioria de nós não é como aquele povo dos dias de Isaías? "Anda logo! Toma uma providência! Queremos ver o que és capaz de fazer. Que o Santo de Israel realize seu plano, pois queremos saber o que é" (Is 5.19).

Mas o Espírito Santo não nos dá todas as suas instruções de uma vez e depois nos deixa sozinhos para lidar com todas elas. Pelo contrário, podemos confiar que ele nos dirá tudo o que precisamos saber *por ora* e, em seguida, atualizará continuamente suas instruções à medida que avançarmos com fé e obediência.

Devemos ver isso como uma grande bênção, não como algo retido por má vontade.

Portanto, esteja certo de que, quando chegar a hora de saber o que é preciso saber, *você saberá*. Se você ainda não ouviu a voz de Deus sobre uma questão em particular, não é porque ele perdeu seu número e não sabe como entrar em contato com você. Pode ser apenas porque ainda não é o tempo de ele esclarecer isso para você.

Em resumo, você tem tudo de que precisa dele neste momento. Caso contrário, ele já teria lhe dado mais. Então, até que Deus torne sua próxima mensagem clara para você — no tempo certo, em seu conhecimento e tempo perfeitos —, aqui está o que você deve fazer: *o que ele lhe disse para fazer agora*. Fazer isso lhe assegura que você está na vontade de Deus para sua vida.

Deus é o Deus do "agora". Ele não quer que você fique sentado lamentando o ontem. Nem quer que você fique contorcendo as mãos e se preocupando com o futuro. Ele quer que você se concentre no que lhe está dizendo e colocando à sua frente... agora.

A voz do inimigo, por sua vez, muitas vezes se concentra no *passado*. O que você fez. O que você deixou de fazer. O que você desperdiçou. De que adianta? Ele também se concentra no *futuro*. O que poderia acontecer. O que poderia dar errado. O que os outros dirão. O que eu deveria fazer a seguir? O que faz você pensar que pode fazer isso?

A voz de Deus lhe diz o que você pode fazer *agora*, não "quem dera".

Aquela estimada e sábia mentora e conselheira de muitos, Elisabeth Elliot, disse: "Um dos melhores conselhos que já recebi foi: 'dê o próximo passo'". Em vez de ficar obcecado à procura do grande plano da vontade de Deus para sua vida, faça apenas o que ele o chamou para fazer agora. É só isso que realmente importa.

Agora.

> Jesus lhes disse: "Sigam-me, e eu farei de vocês pescadores de gente". No mesmo instante, deixaram suas redes e o seguiram.
>
> MATEUS 4.19-20

Por que a pressa?

A bendita consequência de viver por essa perspectiva do "agora" é a seguinte: se você realmente acredita que Deus falará com você no tempo e lugar oportunos, nunca deve ter pressa nem se sentir pressionado a tomar uma decisão. Se algo não está claro para você, fique onde está. Não se mova. Somente quando Deus tiver falado, você será orientado a responder em obediência.

Até lá? O próximo passo. O lance do agora.

É só isso que você precisa fazer ou pensar.

Curiosamente, algumas pessoas falam sobre como os cristãos não levam seu relacionamento com Deus a sério o suficiente, não parecem fazer a conexão entre a adoração dominical que fazem e os planos que têm para a segunda-feira. É óbvio que há uma grande verdade nisso. Mas eu também diria que muitos cristãos — e estou falando sobre os ativos e diligentes — vão longe demais no outro extremo. Ficam tensos e reprimidos, buscando nervosamente a vontade de Deus, procurando detalhes espirituais em todos os cantos, e depois ficam desanimados quando não conseguem encontrá-los. Mesmo tendo uma consciência clara para guiá-los, eles têm certeza de que estão falhando com Deus de um modo sutil e em segredo; do contrário, ele seria mais claro nas respostas.

Eu gostaria que você, querido santo, terminasse este capítulo confiando em Deus — no plano e no tempo dele. Respire fundo, sabendo que os propósitos de Deus foram especificamente calculados com você e com os grandes desígnios que ele tem em mente, e permita-se ter a liberdade de relaxar e esperar, ouvindo a mensagem que Deus tem a seguir toda vez que ele souber que é o tempo certo.

Nada pega Deus de surpresa nem altera sua agenda.

Você não necessariamente fez algo errado, e não necessariamente precisa fazer algo mais. Assuma apenas o compromisso de fazer a coisa "agora" com uma simplicidade fiel, tendo plena confiança de que essa é a vontade de Deus para sua vida hoje.

Nada pega Deus de surpresa nem altera sua agenda. Portanto, quando você estiver afobado e com pressa para tomar uma decisão, é provável que não seja Deus que está falando. Em nenhuma passagem das Escrituras ele diz para alguém tomar decisões apressadamente. O Pastor conduz; não empurra. Não força nem coage com base no medo e na intimidação, como faz o inimigo, deixando-nos freneticamente agitados e apressados. Em vez disso, Deus encoraja e persuade com delicadeza. Com paciência e persistência, dá-nos clareza suficiente antes de exigir nossa obediência.

Se você não sente confiança em uma decisão que precisa tomar, então recue. Espere. Pare e ouça a voz do Espírito para que ela o guie. Porque a voz dele é sempre *oportuna*. Ele não está atrasado. Enquanto você espera que ele fale e cumpra sua palavra para você, permaneça firme na fé, confie que ele o guiará passo a passo e, em seguida, siga para onde ele conduzir.

Permita-me reiterar: nas ocasiões em que você se sente pressionado pelo tempo e uma decisão precisa ser tomada "até amanhã ao meio-dia", escolha a opção que, até onde você sabe, renderá a Deus a maior glória e fará seu relacionamento com ele prosperar.

Nossa vida, na verdade, é como uma caixa com todas as peças de um enorme quebra-cabeça. E somente Deus pode ver a imagem na tampa da caixa. Ele, e ninguém mais, tem uma compreensão completa de todo o desenho e sabe exatamente como (e quando) todas as peças precisam se encaixar — a chegada de ajuda financeira, o surgimento de uma oportunidade ministerial, a vaga para uma promoção profissional ou uma mudança de direção.

Você consegue apenas viver com isso? Viver sem preocupações? Viver vigilante, mas na espera?

Os planos eternos e o tempo perfeito de Deus são presentes para nós que nos permitem descansar nele e desfrutar da aventura de segui-lo. Eles nos libertam do fardo de tentar fazer as coisas acontecerem por nossa própria conta, de trabalhar horas extras para garantir que tudo se alinhe e se encaixe no momento certo.

Cabe a ele falar; cabe a nós ouvir.

E nossa alegria de sermos convidados a participar.

Desafios do capítulo

- Descanse sabendo que Deus tem um plano para suas circunstâncias atuais que foi preparado antes mesmo de você nascer.
- Mantenha seus olhos espirituais abertos para ver onde Deus já está trabalhando. Isso é fundamental para conhecer a vontade dele para sua vida. Quando você vê o que ele já está fazendo, esse é seu sinal para se envolver.
- Deus nunca está afobado, com pressa ou atrasado. Se você ainda não sabe, é porque ainda não precisa saber.
- Concentre-se no que você tem certeza de que deve fazer agora e ocupe-se em fazê-lo.
- Para tomar uma decisão sensível ao tempo, considere em oração qual opção trará mais glória a Deus e incentivará um relacionamento mais íntimo com ele.

13
Sim, Senhor

*Sua mãe, porém, disse aos empregados:
"Façam tudo que ele mandar".*

João 2.5

Deus não fala apenas para ser ouvido.

Ele fala para ser obedecido.

Se você levar consigo apenas algumas pérolas de verdade do tempo que passamos juntos nestas páginas, que esta seja uma das mais confiáveis e preciosas de todas: a obediência é o alfa e o ômega para discernir a voz de Deus.

Ele fala; nós obedecemos.

Não é tão fácil. Mas é simples assim.

E é certo que o compromisso de obedecer cria um resultado favorável para nós e para a glória do Senhor.

A vida de Mônica é certamente um exemplo disso. Seus amigos são abençoados e inspirados pelo simples fato de estarem perto dela. Estar — e conversar — com ela sempre aguça meu apetite por um relacionamento mais dinâmico com o Senhor. Ela me faz desejar experimentá-lo de forma pessoal e poderosa em minha vida diária. Espero que você *seja* um amigo assim.

Posso me lembrar de várias vezes em que Deus apareceu de maneira tão óbvia e impressionante que foi quase difícil de acreditar. Como na época em que, enquanto o marido dela se esforçava para encontrar um novo emprego, a casa deles foi salva da execução hipotecária no último minuto — não uma vez, não duas vezes, mas três vezes (sendo a terceira vez um erro administrativo aleatório, raro e simples que foi o suficiente para lhes dar outra prorrogação de sessenta dias). Ou na época em que as necessidades referentes à educação do filho disléxico exigiam que ele frequentasse uma escola especializada em atender a suas necessidades. O prestigioso centro de aprendizagem lhe concedeu uma bolsa de estudos integral sem nenhuma razão que eles pudessem apontar.

Quer mais? Ela tem.

E embora cada história seja única, todas têm um tema semelhante que as entrelaça. Um fio consistente. Ela e eu muitas vezes falamos sobre isto: por que alguns cristãos como ela parecem experimentar o poder sobrenatural de Deus com mais frequência do que outros, enquanto muitos cristãos podem passar a vida inteira sem de fato testemunhar a obra de Deus. Sua resposta branda e humilde é a seguinte: "Acho que a razão pela qual vejo a atividade de Deus tão claramente em minha vida é porque decidi que a única resposta apropriada a ele é a obediência total. Meu compromisso é obedecer à direção de Deus, por mais ilógicas que sejam as instruções. Desde dar quando eu não tinha o suficiente a fazer um esforço quando estava completamente sem forças, minha simples escolha foi fazer o que ele diz".

Ele fala; ela obedece.

E então Deus responde a essa obediência — às vezes de maneiras surpreendentes; outras vezes, com apenas um gesto santo e satisfatório de aprovação, agraciado com uma profunda consciência de seu favor, de sua paz e de sua doce comunhão que podem ser sentidos de perto.

Ao falar com você, Deus está pedindo que assuma um compromisso. Não apenas que esteja *disposto* a obedecer, mas que de fato vá até o fim. A verdadeira obediência à voz de Deus lança as bases para que ele continue a tornar sua vontade conhecida — não porque ele tenha prazer em desempenhar o papel de uma figura paterna controladora, exigindo friamente sua submissão, mas porque deseja abençoá-lo com suas dádivas mais especiais, incluindo uma intimidade mais profunda com ele. Deus sabe o que é melhor para você, e apenas requer sua obediência para experimentá-la.

Fácil? Não.

Simples? Sim.

Então, você continuará a considerar a obediência como um preço alto demais a ser pago, um desafio difícil demais, um risco grande demais? Ou, como Mônica, chegará à conclusão de que é realmente a única resposta apropriada?

> A direção de Deus é apenas para aqueles que já estão comprometidos a fazer aquilo que ele escolher. A essas pessoas, podemos dizer: "Deus é capaz de falar alto o suficiente para fazer uma alma disposta ouvir".
>
> — Lewis Sperry Chafer

Sem dúvida

Quantas vezes você diria que pede a opinião de Deus sabendo muito bem que pretende continuar com a sua? Seja honesto consigo mesmo. Você já decidiu o que vai fazer, não importa o que sinta que o Espírito de Deus está dizendo?

Faço isso, por exemplo, quando pergunto ao meu marido qual par de sapatos ele acha que fica melhor com determinada roupa, embora já tenha decidido qual usar. Se fizer esse pequeno truque com Jerry um número suficiente de vezes, já posso ouvi-lo dizer: "Por que você está me perguntando? Você fará o que quiser mesmo".

Uma das principais razões pelas quais ouvir a voz de Deus pode se tornar tão difícil para nós — tão obscuro, tão confuso — é que Deus, que conhece nosso coração, não fala muito na vida de uma pessoa que não se dedica a obedecer a ele. E, uma vez que começamos a escolher a desobediência como padrão, vamos nos tornando vez menos sensíveis, a consciência cada vez mais cauterizada e incapaz de detectar aquilo que a deixa agitada. Assim, mesmo quando ele está falando, o coração endurecido e entorpecido dos rebeldes não sente o estímulo santo de Deus nem capta suas dicas nas Escrituras. Rejeitam facilmente qualquer convicção que venha de Deus e interpretam erroneamente sua Palavra escrita para justificar o curso de ação que escolheram. Como diz a Palavra: "Lembrem-se de que é pecado saber o que devem fazer e não fazê-lo" (Tg 4.17). Sim, *pecado*. A consequência disso? Perdemos a intimidade em nossa comunhão com Deus e o acesso total ao seu poder que opera dentro — e por meio — de nós.

Isso não significa que Deus esteja pedindo ou esperando que você seja perfeito para ter o privilégio de receber sua direção. De modo algum estou sugerindo que você precisa *conquistar* o direito de ouvir a voz de Deus. Mas o Senhor sabe até onde vai seu desejo de responder. Ele sabe quando suas intenções são puras. E o que ele promete aos "que têm coração puro"? Jesus o declarou de forma inequívoca: "*Verão* a Deus" (Mt 5.8).

Ele se encanta com aqueles que desejam lhe obedecer e estão dispostos a fazer isso completamente.

> *As Escrituras deixam claro, repetidas vezes, que o pré-requisito para experimentar Deus é obedecer a ele.*

Por exemplo, Deus não chamou Abraão de seu "amigo" (Tg 2.23) simplesmente porque eles gostavam de conversar, mas porque Abraão tinha o compromisso de obedecer à voz de Deus, apesar de todas as dificuldades. Um dos atos mais surpreendentes de obediência de Abraão foi quando Deus lhe deu uma série estranha de instruções: "Tome seu filho, seu único filho, Isaque, a quem você tanto ama, e vá à terra de Moriá. Lá, em um dos montes que eu lhe mostrarei, ofereça-o como holocausto" (Gn 22.2).

Abraão provavelmente achou o pedido de Deus desconcertante, não apenas porque amava Isaque, mas também porque Deus havia prometido que faria dos descendentes de Isaque uma grande nação. O que Deus estava pedindo a Abraão parecia irracional. Pior ainda, parecia contradizer a própria palavra de Deus. Abraão não entendeu. Mesmo assim, escolheu obedecer e, como consequência, viu a atividade sobrenatural de Deus em sua vida — o anjo do céu, o carneiro no arbusto e um novo nome para aquele local sagrado: "Javé-Jiré [o Senhor providenciará]" (v. 14).

Primeiro, obediência.

Depois, o incrível.

Quero ver o incrível — a atividade sobrenatural de Deus — e sentir a paz e a consciência tranquila que vêm de sua reconfortante aprovação. Não quero apenas ouvir sobre isso na vida de Abraão, na vida de Moisés, na vida de Mônica ou mesmo na vida de meus amados pais. Não quero simplesmente manter distância e ver isso de longe, à margem, nos confins mais distantes de meu potencial espiritual. Quero *experimentá*-lo de uma maneira real e tangível.

A chave para abrir essa porta, que parece ser um enigma para tantas pessoas, é a prática bem conhecida da obediência. As Escrituras deixam claro, repetidas vezes, que o pré-requisito para experimentar Deus é obedecer a ele.

Obediência. É o que nosso Pai anseia de seus filhos.

O Senhor usou uma experiência simples em minha família para demonstrar o poder da obediência. Um de meus filhos havia ido para a cama tossindo e espirrando. Tínhamos lhe dado um remédio, mas não estava aliviando nem um pouco os sintomas. Parecia que a cada cinco minutos seus esforços para tentar dormir me acordavam de sobressalto. Subi para vê-lo várias vezes e continuei a voltar para a cama. A noite toda.

Por fim, por volta das quatro horas da manhã, não fui acordada pela tosse de Jerry Jr., mas pelo Espírito de Deus, que me encorajava a me levantar, subir as escadas, impor as mãos em meu filho e orar por sua cura. Senti algo em meu íntimo que eu sabia que era o Senhor me impelindo a fazer.

Por dez minutos ou mais, discuti com Deus se essa estratégia era sábia. Ele não sabia que eram quatro horas da manhã aqui na terra? Eu estava tão cansada. Já havia me levantado várias vezes e havia acabado de me aquecer e me aconchegar novamente, tentando ajustar o sono de uma noite inteira a essas últimas horas de escuridão. Eu não poderia simplesmente deixar meu filho tentar descansar o que pudesse e tratar do assunto novamente pela manhã?

Mas eu sabia de onde vinham essas instruções. E, mesmo tonta de sono, eu me perguntava se talvez a atividade sobrenatural de Deus estava de fato esperando pela minha simples obediência. Então, mesmo que a maior parte de mim estivesse resistente a obedecer, meus pés finalmente tocaram o chão e logo eu estava de volta ao quarto de meu filho, inclinando-me em silêncio sobre sua cama.

Impus as mãos em sua cabeça e em suas costas enquanto ele estava deitado ali, ainda fungando e com chiado no peito na tentativa exausta de dormir. Orei a Deus pedindo a cura daquele pequeno corpo. Declarei palavras das Escrituras sobre ele. Apropriei-me das promessas de Deus para sua vida e para aquela situação, e pedi que, de acordo com a vontade do Senhor, ele fosse curado. Depois desses poucos momentos de sussurros, voltei em silêncio para baixo, me enrolei novamente nos cobertores, ouvi uma última tosse vinda de seu quarto e depois... nada. Ele dormiu profundamente o resto da noite e acordou na manhã seguinte sem sinal algum de indisposição.

As instruções que você recebe do Senhor podem ser muito diferentes das minhas. A questão é estar disposto a obedecer ao que ele lhe disser.

Para algumas pessoas, isso provavelmente seria visto como mera coincidência. Mas, uma vez que Deus estava lidando comigo sobre essa questão em minha caminhada com ele, eu sabia que era o alerta do Espírito para eu começar a responder a ele imediatamente, por mais inoportunas ou inconvenientes que fossem, para mim, suas instruções.

Ao ver nosso filho de manhã — sem olheiras, o nariz já não mais vermelho e inchado de tanto assoar e com o apetite de volta ao normal —, meu marido disse: "Vi que você levantou para vê-lo por volta das quatro. Você deu mais remédio para ele? Não ouvi mais tosse depois que você subiu lá".

Tudo o que pude fazer foi sorrir. Sim, eu lhe tinha dado algo, com certeza.

E também recebi algo — outra experiência incrível com o Senhor por meio da qual ele deu um pequeno vislumbre da bênção reservada para aqueles que constroem uma base de obediência.

Fico imaginando quais recompensas sobrenaturais estão à espera de cada um de nós se nos comprometermos a responder a Deus em obediência em todas as situações.

> A pior coisa que você pode fazer — a maneira mais rápida de se tornar insensível — é ignorar uma impressão. Você não deve se permitir ouvir sem responder.
>
> PETER LORD

Sem escape

Escolher *obedecer* não é o único tema que precisamos discutir juntos. O *tipo* de obediência que oferecemos é outro aspecto importante a ser considerado. A obediência a Deus — o tipo de obediência que o convida a falar conosco continuamente — deve ser *completo*. A obediência sem questionamento ou reserva. A obediência que faz o que ele diz mesmo diante das objeções da razão e do conforto. A obediência sem hesitação ou planos alternativos.

É como o compromisso total expresso pela família Beckett, que sentiu o chamado de Deus para ministrar em uma comunidade no sul da Califórnia, assolada por gangues e drogas, e que marcou seu território espiritual ao comprar jazigos para seus membros dentro dos limites da cidade, dizendo com essa ação audaciosa o seguinte: "A menos que Deus nos diga o contrário, morreremos servindo a ele aqui".

Esse é o tipo de obediência que Deus deseja de nós. Lançar-nos de corpo e alma para fazer tudo o que ele pedir. Responder com fé e confiança radicais. Compreender, como disse Jesus, que "aqueles que aceitam meus mandamentos e lhes obedecem são os que me amam". E para esses ele faz esta promessa: "E eu também os amarei e me revelarei a cada um deles" (Jo 14.21).

A palavra grega para "revelar" nesse versículo significa "mostrar, aparecer pessoalmente, declarar". Enquanto todos que creem em Cristo, sem dúvida, têm o privilégio de conhecer o amor de Deus, aqueles que fazem da obediência um hábito de vida podem esperar receber uma invasão da presença manifesta de Deus — aquelas revelações preciosas e cada vez mais profundas de seu poder e glória.

Por outro lado, os cristãos que sempre têm um plano de escape — outra opção à mão, um plano B ao qual recorrer — são o que as Escrituras chamam de "mente dividida" (Tg 1.8). E nunca podem esperar conhecer plenamente e experimentar o poder e a presença de Deus. Nunca podem experimentar a revelação plena da atividade divina que está à disposição daqueles que estão totalmente comprometidos. Nem mesmo devem esperar "receber coisa alguma do Senhor" (v. 7), incluindo sua direção e orientação contínuas.

Portanto, se você não está ouvindo a voz de Deus de forma muito clara ou regular, peça ao Senhor que revele se a culpa é de sua mente dividida — qualquer senso de retenção, qualquer resistência inicial que impeça sua total aceitação da mensagem de Deus para você e sua obediência a ela.

Lembre-se novamente da experiência de Abraão ao ouvir a direção de Deus para sacrificar seu filho Isaque. Pense na intensa dor emocional que deve tê-lo acompanhado em sua jornada de três dias de Berseba ao monte Moriá — 72 longas horas para reconsiderar e mudar de ideia. Mas Abraão estava comprometido em ir até o fim com essas difíceis instruções de Javé.

Ele não havia levado consigo um animal extra para o sacrifício com o intuito de substituir Isaque no último minuto. Não se esquivou da tarefa sombria de cortar lenha e afiar a faca antes de partir. Tinha o compromisso de obedecer a Deus sem desculpa ou sem escape.

Completamente. Inquestionavelmente.

Apenas uma coisa poderia inspirar esse tipo de obediência sincera em Abraão: a total confiança de que o Deus que o havia conduzido até ali não era apenas bom e generoso, mas também iria até o fim com suas promessas. Ele sabia que, mesmo nessa circunstância ilógica, Javé estava trabalhando para seu bem maior. Ele sabia. Caso contrário, jamais teria conseguido levar isso adiante.

E a menos que estejamos certos dessas mesmas coisas, nós também não conseguiremos.

Deus muitas vezes tem de me lembrar, sempre que percebo que minha vontade de obedecer está diminuindo, que *ele é amor* e é bom. Essas não são meras características da personalidade de Deus; são inerentes ao seu ser. E embora isso não signifique que sempre apreciarei suas escolhas, saber dessas certezas sobre ele me assegura que ele nunca me pedirá para fazer algo que não seja o melhor para mim e que não esteja de acordo com seu plano. Se eu tão somente puder confiar nisso, então posso ter certeza de que ele me dará a força para realizar aquilo que me enviou para fazer, por maior ou por menor que seja.

> O Senhor Soberano falou comigo,
> e eu ouvi;
> não me rebelei nem me afastei. […]
> Por isso, firmei o rosto como uma pedra
> e sei que não serei envergonhado.
>
> Isaías 50.5,7

Sem demora

Já falamos neste livro sobre quando convém adiar uma ação ou decisão iminente até que você ouça a voz do Senhor. Há muita sabedoria bíblica e prudência nessa perspectiva. Contudo, uma vez que você ouviu a voz de Deus, adiar não é mais uma opção — apenas a obediência instantânea o é.

Abraão não apenas obedeceu, mas o fez sem demora. Na verdade, toda vez que Deus lhe deu instruções, ele obedeceu imediatamente. Dê uma olhada no histórico de Abraão…

- Quando Deus lhe disse para deixar sua terra natal, Abraão "partiu" imediatamente (Gn 12.1,4).

- Quando Deus lhe disse exatamente que tipo de oferta deveria fazer, Abraão imediatamente fez conforme o que lhe foi pedido (Gn 15.9-10).
- Quando Deus lhe deu instruções para circuncidar todo homem em sua casa, Abraão fez isso "naquele mesmo dia" (Gn 17.23).
- E quando Deus lhe disse para sacrificar seu filho Isaque, ele "se levantou cedo" na manhã seguinte para cumprir a tarefa (Gn 22.1-3).

"Cedo"?
Hein?

Ao contrário de Abraão, tenho certeza de que teria esperado, pelo menos, alguns dias antes de dar o passo drástico de sacrificar meu filho — esperando que talvez Deus mudasse de ideia ou percebesse que havia chamado a pessoa errada. Quando o Senhor me dá diretrizes das quais particularmente não gosto ou que tenho medo de realizar, a última coisa que quero fazer é me levantar "cedo" para fazê-las. Procrastino. Penso a respeito. Oro a respeito. Converso com amigos a respeito. E se não fizer nada disso, normalmente apenas tento ignorar.

Basta dizer que, quando as instruções de Deus são difíceis — como foram as de Abraão, como muitas vezes são as minhas e as suas —, em geral somos lentos para obedecer. No entanto, quando Deus lhe disse para fazer o impensável, Abraão partiu imediatamente para o monte. E uma vez que obedeceu imediatamente, experimentou a intervenção de Deus.

Às vezes, fico me perguntando se aquele carneiro teria sido pego no arbusto se Abraão tivesse esperado um dia, uma semana, talvez até um mês ou mais para fazer o que Deus lhe havia pedido. Não sei. Somente Deus sabe. Mas o que sabemos com certeza é o seguinte: uma vez que Abraão obedeceu imediatamente, o livramento de Deus o estava aguardando no topo da montanha quando ele chegou.

E se simplesmente seguíssemos *esse exemplo*?
Seria possível que víssemos a atividade de Deus com mais frequência? A experiência que teríamos dele seria mais plena e rica?

Em vez de ceder ao medo em relação aos possíveis resultados, poderíamos simplesmente acreditar que nossa obediência imediata iria ao encontro da providência sobrenatural de Deus que foi preparada de antemão. Em vez de hesitar com preocupação e insegurança, poderíamos simplesmente confiar que ele sabe o que está fazendo e por que está dizendo isso, e que nos dará mais detalhes quando chegar o tempo de precisarmos deles.

Poderíamos simplesmente dizer: "Sim, Senhor"?

Então, estaríamos lhe dando o que ele deseja: a única resposta apropriada. Mesmo que ainda não entendêssemos completamente todas as razões pelas quais Deus ordenou isso em primeiro lugar, estaríamos lhe dando o que ele deseja: obediência. Nós nos sentiríamos melhor com relação a nós mesmos porque seu Espírito nos consolaria e confirmaria sua aprovação de nossas ações. E, o que é melhor ainda, abriríamos a porta para que ele fizesse o que realmente quer conosco.

Há alguns anos, eu tinha a plena intenção de voltar ao Seminário Teológico de Dallas para fazer um doutorado. Fazia algum tempo que eu estava pensando nisso e até mesmo passei pelo processo de admissão, incluindo a redação de vários ensaios obrigatórios e a requisição de diversas cartas pessoais de recomendação. Passei muitas horas cuidando para que todos os formulários fossem preenchidos corretamente antes de colocá-los em um envelope e ir até a escola para entregá-los. Nunca me esquecerei da empolgação que senti, sabendo que em breve estaria de volta à sala de aula.

No entanto, enquanto eu seguia para o seminário para entregar minha inscrição, o Espírito Santo falou claramente ao meu coração. *"Eu não disse que queria que você voltasse para a escola"* foi o que ele pareceu dizer. *"Você teve essa ideia sozinha. Eu tenho outros planos para você."*

Opa! Eu não estava esperando aquilo.

Sinceramente, lá estava eu, a caminho do campus, com meu envelope de documentos em perfeito estado no banco do passageiro, e, naquele momento, fui confrontada com uma diretriz tão forte de

Deus para dar meia-volta que não tive dúvidas de que ele estava falando comigo.

Surpreendida, pensei em seguir em frente e entregar a inscrição mesmo assim. Afinal, eu já havia chegado até ali e poderia ligar mais tarde e pedir que a desconsiderassem. Depois de entregar os documentos, eu iria para casa, conversaria com o Jerry, e se chegássemos a essa mesma conclusão inesperada — mesmo nessa fase avançada do processo —, eu ligaria e cancelaria tudo. Sem problemas. Mas se, por outro lado, decidíssemos que eu estava enganada sobre o que pensava que Deus estava dizendo sobre a mudança de planos, então completar minha tarefa me pouparia de fazer outra viagem até ali e eu não perderia nenhum prazo.

Contudo, mesmo naquele momento preciso na faixa de ultrapassagem, o Senhor trouxe à minha mente esse princípio de obediência imediata sobre o qual estávamos falando. Com um movimento rápido do Espírito, essa história da obediência radical de Abraão tornou-se um selo na convicção que brotava dentro de mim. Sim, eu tinha certeza do que deveria fazer. Então, peguei a próxima saída da rodovia e fui direto para casa — com a inscrição completa e tudo mais.

Há algo que ele está falando com você neste momento? Alguma pessoa para perdoar? Algum hábito para abandonar?

E então...

Em questão de semanas, Deus começou a tecer uma rede de eventos que levaria ao ministério em que meu marido e eu estamos envolvidos agora, algo que não se encaixaria bem com a carga de estudo do doutorado — algo que eu não sabia, mas Deus sabia. Também começamos uma família — de forma um pouco inesperada. E embora eu saiba com certeza que uma mulher pode ser mãe e obter um doutorado, o Senhor conhece meu limite para compromissos.

Em todos os anos desde aquele momento, nunca mais o desejo de voltar à escola foi reaceso — pelo menos para obter aquele diploma. Deus removeu completamente essa aspiração, substituindo-a por uma paixão por nosso ministério e nossa família. Na época, eu não sabia tudo o que Deus tinha planejado para mim, mas *ele* sabia. A obediência imediata me manteve abençoada e protegida.

Mas serei a primeira a admitir que há algumas áreas de obediência — algumas com as quais estou comprometida agora — para as quais ainda não vejo muito bem um resultado que faça que tenham pleno sentido. No último mês, enquanto eu estava trabalhando neste manuscrito, alguns dos parágrafos que escrevi me surpreenderam à medida que a mensagem deles começava a instigar em meu íntimo a convicção de Deus de que eu deveria deixar de me envolver em uma atividade em particular. Não era pecado de modo algum, mas eu simplesmente não conseguia me livrar da sensação de que Deus queria que eu parasse. Em questão de dias, ele confirmou isso por meio de um comentário casual feito por um de meus irmãos, que não sabia absolutamente nada de minha convicção. Com isso, simplesmente decidi obedecer, mesmo que, em minha opinião, não houvesse motivo para deixar de ter esse passatempo de que eu gostava tanto. Mas deixei... e continuo assim. Sinto falta, mas posso viver sem ele. E viver com a paz e a confirmação de uma consciência limpa, e também com a alegria do Senhor, vale a pena.

Há algo que ele está falando para você neste momento? Alguma pessoa para perdoar? Algum hábito para abandonar? Alguma compra da qual desistir? Se sabe que é o Senhor e não pode seguir em frente sem sentir um peso na consciência, você realmente não tem escolha se deseja ver Deus realizar a melhor obra em sua vida, em sua casa, em sua família.

Você deve obedecer à voz de Deus. Imediatamente.

> Eu me apressarei e, sem demora,
> obedecerei a teus mandamentos.
>
> SALMOS 119.60

Próxima parada: o sobrenatural

Duvido que algum dos temas deste capítulo realmente tenha sido uma grande surpresa. Todos sabemos que nada bom resulta da desobediência a Deus, e que nunca nos sentimos bem em relação às nossas desculpas para isso. Contudo, se estamos esperando uma dose constante de vida abundante, temos de levar esse assunto a sério.

Então, acho que tudo o que realmente resta para cada um de nós se perguntar é se estamos ou não preparados para isso. Se estamos ou não dispostos a obedecer a ele. E, se sim, como podemos saber se somos capazes, se poderemos realmente fazê-lo quando chegar a hora?

Em resumo: esperar até que você esteja no meio da situação para tomar a decisão de levar isso adiante provavelmente não funcionará. Quando estiver diante daquilo que parece, no momento, ser uma tarefa irracional, e ainda não decidiu se sua escolha será obedecer, então você estará em uma posição difícil de lidar e fácil de se convencer do contrário. A obediência de amanhã é algo que você deveria decidir hoje, antes que surja o próximo desafio.

Lembre-se de que Deus fala com você para convidá-lo para seus propósitos. Isso muitas vezes significa que será preciso deixar de lado o que você achava que seria o melhor caminho a seguir para poder fazer o que Deus lhe está pedindo. E se você e eu não nos prepararmos de antemão para modificar nossos planos conforme necessário, acabaremos frustrados e sobrecarregados — não é o melhor estado de espírito para segui-lo com obediência em nenhuma situação.

- Nicodemos teve de modificar seu sistema de crenças para ser salvo (Jo 3).
- A mulher no poço modificou seu comportamento e se tornou uma evangelista de toda a sua cidade (Jo 4).
- Josué teve de abandonar seus planos de batalha para experimentar a vitória em Jericó (Js 6).
- Jonas teve de se dispor a deixar o conforto de Israel para ir a Nínive e oferecer a misericórdia divina aos inimigos de Deus.

Nunca se trata apenas de ouvir e prestar atenção.

Trata-se sempre de obedecer — o que exige uma firme resolução respaldada pelo poder do Espírito de Deus.

Jesus fez um convite às pessoas de seu tempo, dizendo: "Venham a mim todos vocês que estão cansados e sobrecarregados, e eu lhes darei descanso" (Mt 11.28). Todos foram convidados a participar dessa bênção eternamente reconfortante do reino de Deus — com uma condição. Eles tinham de "vir". Tinham de tomar a decisão de abrir mão de suas crenças religiosas, tradições e planos do momento para receber o Messias como Senhor e Salvador. Não podiam continuar a seguir os próprios caminhos, sendo inflexíveis com os próprios planos, e, ao mesmo tempo, se achegar a Jesus.

E todos os dias, como pessoas que creem em Cristo, devemos também tomar a decisão de ajustar nossa vida em obediência a Deus, entregando nossa vontade à dele. Devemos manter nossos planos flexíveis, não resistentes como concreto, deixando espaço para ele nos pedir para fazer algo diferente do que está escrito em nossa agenda.

Mesmo Abraão, nosso modelo bíblico ao longo deste capítulo, teve de fazer ajustes para experimentar o melhor de Deus. Quando Abraão pensou que seu filho Ismael serviria perfeitamente como o filho da promessa de Deus, uma vez que ele e Sara não tinham conseguido (e agora eram velhos demais para) ter filhos, Deus disse: "Não. Ajuste seu modo de pensar, Abraão. Eu sou Deus, e posso fazer qualquer coisa".

Deus deseja que você o experimente, que aprenda mais sobre ele.

Essa disposição e habilidade de mover-se constantemente em torno da direção de Deus se mostrariam úteis mais tarde, quando Abraão foi surpreendido por aquelas instruções divinas para sacrificar seu filho Isaque. Mas, naquela época, ele havia aprendido por experiência tudo o que precisava saber para permanecer em sintonia com os planos de Deus e continuar até o fim — sem questionamento, sem escape, sem demora. Ele tinha certeza de que a obediência imediata e completa era a melhor e única resposta apropriada.

E você pode ter essa mesma confiança também. Comece com a simples decisão de obedecer a Deus nas próximas 24 horas. Peça a ele que o torne sensível à sua direção do amanhecer ao anoitecer deste dia, respondendo prontamente a cada toque sobrenatural que sentir. À medida que for se adaptando aos ritmos de seu dia a dia, comprometa-se a responder em obediência e veja o que acontecerá. É impossível prever o que o Senhor pode fazer para incentivá-lo e constrangê-lo a assumir esse compromisso para toda a vida.

Deus deseja que você o experimente, que aprenda mais sobre ele. Deseja envolvê-lo em seus propósitos, fazer parte do que está efetivamente realizando neste mundo, até mesmo no cantinho do mundo em que você vive.

E talvez o mais importante: ele deseja que você obedeça, que veja o sobrenatural que deseja realizar a seguir em sua vida.

Vamos lá, você sabe que não quer ficar de fora disso.

Desafios do capítulo

- O povo de Deus muitas vezes não vivencia as atividades de Deus porque não estabeleceu a estrutura de obediência na qual elas se desenvolvem. Nas próximas 24 horas, assuma o compromisso de obedecer ao que sente que o Espírito de Deus o está levando a fazer, por maior ou menor que seja a tarefa. Anote qualquer coisa significativa que aconteça como resultado de sua obediência.
- Lembre-se de que a obediência de amanhã depende dos compromissos de hoje.
- Não apenas decida obedecer de imediato; obedeça também completamente.
- Reconheça que a desobediência faz que o coração se endureça e se torne insensível à direção futura de Deus. Não se engane pensando que pode manter certas áreas de resistência à vontade de Deus e, ainda assim, esperar ouvir a voz dele com clareza.
- Você pode obedecer sem hesitação porque Deus é amável, ele é bom e ele o ama.

14
Expectativas maiores

Espere pelo Senhor e seja valente e corajoso;
sim, espere pelo Senhor.

Salmos 27.14

Se você pegasse um exemplar da versão original deste livro, perceberia que os pensamentos que compartilhei no início daquele manuscrito foram transferidos para o final deste. Não porque, para mim, fossem menos importantes ou não fossem fundamentais o suficiente para carregar o peso do início. Pelo contrário, eu os coloquei aqui de propósito, exatamente no final de nossa jornada por essas páginas juntos, porque é isso que eu gostaria que estivesse em sua mente e guardado em seu coração ao fechar o livro pela última vez.

Desejei para você o mesmo que recebi: uma despedida entusiasmada para a jornada de ouvir a voz de Deus que me deixou inspirada e cheia de uma expectativa santa. Nunca me esquecerei disto: uma mentora sábia bem à minha frente, com olhos que tinham o brilho de um fervor santo, colocando as mãos em meus ombros e me dizendo para viver em um estado de expectativa como eu nunca havia vivido. Olhar para cada dia e cada momento dele sabendo que Deus havia invadido o espaço desse dia e estava ansioso para se comunicar comigo, para que eu pudesse me unir a ele em seus esforços. Ter olhos e ouvidos aguçados e em alerta, prontos para ouvir sua voz e acreditar que ela chegaria no tempo oportuno.

Dei ouvidos e não me arrependi.

Na verdade, um coração esperançoso é um coração pronto para ouvir.

EXPECTATIVAS MAIORES

Para ser totalmente honesta, esses pensamentos finais são apropriados neste lugar agora porque, ao longo dos últimos anos, desde que *Discernindo a voz de Deus* foi originalmente escrito, minha expectativa com relação à atividade de Deus só aumentou. Ter uma expectativa divina e uma expectativa santa foi o começo de minha história naquela época, mas agora é a continuação. É o que mantém a aventura viva e empolgante, o que nos faz querer mais do que quando começamos.

Parece que este é um padrão em nosso relacionamento com Deus. Quanto mais fome temos, mais ele a satisfaz. Quanto mais ele a satisfaz, mais fome temos de que ele continue a satisfazê-la. É um ciclo constante que nos mantém com vontade de chegar a profundezas mais profundas e alturas mais elevadas à medida que a jornada continua.

E, inacreditavelmente, ele continua a dar mais fome.

Portanto, penso que esta seja uma conclusão apropriada, cujo objetivo é lhe transmitir que, embora o livro esteja chegando ao fim, sua incrível jornada — seja você um novo convertido ou um santo experiente — está apenas começando mais uma vez hoje. É impossível prever o que Deus tem reservado.

Então, imagino meu braço ao redor de seus ombros enquanto me despeço com uma bênção que oro para que você tenha ao acordar todas as manhãs — mesmo nos dias em que estiver angustiado e desanimado desde o início. Mesmo quando Satanás o importunar com lembranças do passado e palavras cruéis de condenação. Mesmo quando, por um instante, você começar a se sentir abandonado por Deus, como se aparentemente tivesse ficado de fora da lista de bênçãos dele.

Se o ato de discernir a voz de Deus começar com prestar atenção para ouvi-lo, como discutimos no início, então *continuar* a ouvir a voz de Deus é o resultado de outra escolha intencional que — assim como ouvir — não depende do que você fez ou não fez por ele, mas sim do que *ele* fez e ainda anseia fazer em você. Enquanto *busca* ouvir a voz de Deus, faça mais uma coisa: *espere* ouvi-la.

Acorde esperando.

Chegue esperando.

Venha esperando.
Viva esperando.
Nunca pare...
De esperar.

Conversei com muitos cristãos de diversos contextos e experiências com a igreja, e não é difícil deduzir de seus testemunhos que eles, como muitos de nós — quando analisamos a fundo —, realmente não esperam que Deus fale com eles e dê direções específicas sobre os detalhes da vida. Mesmo que outras pessoas não percebam pela forma como andamos, falamos e nos comportamos em público, muitos de nós passam a maior parte do dia duvidando de que ele mudará algo ou, pelo menos, nos dará diretrizes explícitas sobre nossas circunstâncias em particular. Então, acordamos, nos preparamos, realizamos os afazeres do dia, contentes por Deus estar ali, é claro, mas não esperando muito dele em se tratando de instruções divinas.

Mas quando realmente esperamos, ele cumpre o prometido de maneira incrível.

> Subirei até minha torre de vigia
> e ficarei de guarda.
> Ali esperarei para ver o que ele diz.
>
> HABACUQUE 2.1

O que você espera?

Você percebeu o título desta seção? Ao rever a maior parte de minha vida cristã, minha resposta é um enfático e sincero "nada de mais!". É verdade. Eu esperava pouco, e tenho certeza de que o resultado desse baixo nível de expectativa foi um nível ainda mais baixo de experiência com Deus.

Ele gentilmente abriu meus olhos para isso em uma ocasião em que eu precisava de restauração emocional. Logo após uma traição que me deixou um pouco machucada, procurei uma solução. E o Espírito começou a me convencer de que eu estava buscando ajuda de todos, menos dele. Eu havia pedido conselhos a conselheiros sábios e levado a sério suas recomendações. Havia buscado orientação em sites da internet e em livros relacionados ao assunto. Havia feito tudo em que podia pensar para obter uma resposta para meu problema, exceto colocar meu pedido diante de Deus. Nem mesmo cheguei a orar a respeito.

E enquanto sondava meu coração, impulsionada pelo Espírito Santo, para entender por que não havia me inclinado a levar minha preocupação ao Senhor — pelo menos como *mais* uma, se não mais apropriadamente como *a primeira*, dessas outras fontes de ajuda e informação —, logo descobri duas razões.

Primeiro, eu não esperava de fato que o Senhor falasse comigo. Não esperava que ele entrasse em meu mundo com uma palavra prática, pessoal e capaz de mudar minha vida.

Segundo, eu não esperava que o Senhor me curasse. Sabia que o Senhor era capaz de lidar com meus problemas, não apenas por meio das evidências de sua obra nas Escrituras, mas também na vida de muitos cristãos contemporâneos. Mas, nos recônditos mais profundos de meu coração, realmente nunca pensei que ele restauraria *isso*. Em *mim*.

Então, nesse momento revelador, com meu coração, minhas dúvidas e minhas atitudes suficientemente expostos, Deus direcionou meu estudo bíblico para a fresta estreita das Escrituras conhecida como livro de Habacuque, em que usou a mensagem descritiva desse relato profético para me ensinar uma importante lição — uma lição que eu conhecia, mas não *conhecia* de fato até aquela ocasião. Com as promessas de um versículo simples, mas profundo, o Senhor encorajou minha busca por sua palavra e confirmou sua promessa de me dar conselhos.

> Esta é uma visão do futuro;
> descreve o fim, e tudo se cumprirá.
> Se parecer que demora a vir, espere com paciência,

> pois certamente acontecerá;
> não se atrasará.
>
> Habacuque 2.3

Leia essas promessas mais uma vez... devagar. Assimile-as. Celebre-as. Essa é a mensagem exata que o próprio Deus queria compartilhar com o profeta desanimado diante de circunstâncias difíceis e de uma santa expectativa cada vez menor:

- A mensagem de Deus e o cumprimento dela são para o "futuro".
- A visão "descreve o fim".
- O plano de Deus para você "se cumprirá".
- A visão "certamente acontecerá" e "não se atrasará".

Conhecendo nossa propensão humana para o desânimo e a impaciência, Deus dedica um momento para encorajar e consolar Habacuque e, por meio de seu Espírito, fazer o mesmo por nós. Pois, como nós, Habacuque estava precisando desse lembrete.

O profeta estava em um estado de angústia que, no final, havia levado a melhor sobre ele. Estava cada vez mais horrorizado com a natureza pecaminosa do povo de Judá e não conseguia entender por que Deus não fazia nada a respeito. Habacuque havia orado várias vezes, mas parecia que Deus não estava ouvindo.

Se ele estava, certamente não estava respondendo.

Assim, quando o vimos pela primeira vez, é isto que por acaso o ouvimos dizer — na verdade, o que por acaso o ouvimos *orar*:

> Até quando, Senhor, terei de pedir socorro?
> Tu, porém, não ouves.
> Clamo: "Há violência por toda parte!",
> mas tu não vens salvar.
> Terei de ver estas maldades para sempre?
> Por que preciso assistir a tanta opressão?
>
> Habacuque 1.2-3

Até quando?
E por quê?

Você provavelmente conhece bem as emoções que podem desencadear essas duas perguntas. Quando parece que as circunstâncias da vida estão fechando o cerco à sua volta, quando você não vê uma luz no fim do túnel, quando já cansou de esperar que Deus falasse em sua situação, é fácil parar de esperar muita coisa, e você pode facilmente deixar de esperar e passar a não esperar e, em seguida, procurar a quem culpar.

Aparentemente, era isso que estava acontecendo com Habacuque aqui. Não sabemos há quanto tempo ele estava clamando a Deus, mas podemos presumir que isso já estava acontecendo havia muito tempo. A esperança havia se transformado em desânimo, e tudo o que ele podia ver era essa montanha cada vez mais alta de pecado e rebelião ao seu redor — e o que Deus estava fazendo a respeito? Nada. Não fazia isso parar nem o punia.

Ou, pelo menos, era o que parecia...

> Observem as nações ao redor;
> olhem e admirem-se!
> Pois faço algo em seus dias,
> algo em que vocês não acreditariam
> mesmo que alguém lhes contasse (v. 5).

Em vez de responder pensamento por pensamento à queixa do profeta, Deus o encoraja a olhar ao redor e ver o que já está acontecendo. Deus pede a Habacuque que pare de falar e comece observar.

Acontece que, enquanto Habacuque reclamava que Deus parecia estar inativo e distante, Deus já estava orquestrando uma rede magistral de eventos que estavam em andamento naquele momento. O que Habacuque via como indolência era, na verdade, a atividade de Deus em um nível completamente diferente — o tipo de atividade que apenas alguém com visão espiritual pode perceber. Deus basicamente estava dizendo: "*Estou* falando, Habacuque, e *estou* fazendo algo. Só que você estava olhando através de lentes erradas. É por isso que não consegue ver". Em vez de lidar no mesmo plano do modo estreito e linear do profeta de ver as coisas, Deus lhe mostrou que havia tratado de muitas outras questões do que da simples série de problemas do profeta no momento.

O que Deus estava tentando lhe dizer — o que continua a tentar nos dizer — é que um coração que continua a esperar a ação de Deus resultará em olhos abertos para ver e reconhecer a atividade divina nas circunstâncias da vida. De fato, a expectativa é a raiz do ouvir a voz de Deus. Se não esperarmos que Deus fale, desconsideraremos as ocasiões em que ele falar. Presumiremos que foi "uma simples coincidência" ou algo de nossa cabeça. Não faremos a correlação entre a obra de Deus e sua Palavra com as coisas que acontecem ao nosso redor.

Mas Deus está *sempre* trabalhando. E se mantivermos os olhos abertos com total expectativa, descobriremos que até mesmo situações em que ele parece indiferente estão, na verdade, cheias das obras de suas mãos, sua visão e sua instrução para nós.

No caso de Habacuque, Deus estava trabalhando nos bastidores, preparando metodicamente os babilônios para serem seu instrumento de disciplina do povo desobediente de Judá por causa do pecado. O sentimento de desânimo de Habacuque o mantinha cego para isso, incapaz de ver Deus com clareza. Em *seu* caso, é claro, trata-se de algo diferente — algo que Deus se ocupa em realizar fora de seu campo de visão natural, lá onde somente ele poderia fazer algo tão complexo e abrangente que poderia ocorrer sem que você soubesse, mas, ainda assim, impactar diretamente sua situação específica.

Deus está trabalhando. Mesmo quando não parece.

Com base na autoridade da Palavra de Deus, posso lhe assegurar isso.

E saber disso é motivo para você ter constante expectativa. Ela é a base segura na qual você pode encontrar apoio para os pés a fim de continuar a esperar, desejoso, o que ele *fará* e *já* está *fazendo*.

Enquanto escrevo, ocorre-me que isso está acontecendo neste exato momento em minha vida, na área da maternidade. Posso dizer com toda sinceridade que minha transição à função de mãe me pegou de surpresa — uma surpresa com a qual, em minha opinião, eu não estava totalmente preparada para lidar. (Acho que nenhuma mãe realmente está.) Meus filhos são uma grande bênção para mim — mal posso conter meu amor por eles em um coração humano —, mas, como a maioria das mães, houve dias em que o peso dessa responsabilidade me levou a ficar de joelhos na presença do Senhor. Suplicando para que ele mudasse determinada circunstância ou situação específica que estávamos enfrentando. Mas, como você bem sabe, o ritmo do dia de uma mãe é exatamente isto — um ritmo —, uma cadência em *staccato* de desjejum, almoço, jantar e louça no meio de tudo isso. Então, quando vi pouca mudança nas coisas pelas quais estava orando, fiquei desanimada e propensa a deixar de acreditar plenamente que Deus estava me ouvindo, que responderia para mim e que eu poderia ser a mãe que ele desejava que eu fosse.

Talvez o encargo mais urgente em sua vida seja algo diferente. Uma doença crônica. Um pai manipulador. Uma fase de desemprego. O fantasma da falência. Seja o que for, os pensamentos e os problemas que giram em torno desse encargo estão constantemente no centro das atenções ou lá no cantinho de sua mente. Mas Deus — onde *ele* está? Notado por sua ausência? Destacado por seu silêncio? Antes de nos darmos conta, nossas perguntas começam a ficar muito parecidas com as de Habacuque...

- "Até quando, ó Deus, esta circunstância permanecerá assim?"
- "Por que, ó Senhor, não estás respondendo às minhas preocupações?"

Deixe a resposta de seu Pai amoroso à oração de Habacuque encorajá-lo, assim como me encorajou. "Veja!" Veja a mão de Deus onde você ainda não viu. Abra os olhos para um cenário que vai muito além de seu foco imediato e testemunhe um Deus que está realizando coisas em seu mundo e em sua vida que você nunca havia percebido.

Porque o que estou percebendo é o que as mães têm experimentado desde o início dos tempos: Deus está usando meus filhos para produzir frutos espirituais em mim; algo pelo qual orei com fervor por anos, mas esperava que fosse respondido de uma maneira muito superior, muito menos diária e prática. Quando amigos de longa data notam mudanças e maturidade em mim ao longo dos anos, consigo remontá-las à minha vida como mãe — desafios e as demais coisas — que está extraindo o que Deus deseja que seja visto em mim. Por causa da imprevisibilidade da agenda e demandas deles, Deus está me ensinando a permanecer flexível à sua vontade, mais capaz de mudar de curso e direção, menos apegada aos meus próprios planos e horários. Por causa da dependência que têm de mim como mãe, ele está me ensinando tanto o custo quanto os benefícios de frutos espirituais como paz, alegria e domínio próprio. Veja. Observe. Ele está trabalhando. Ele está falando... mesmo quando parece que não está.

Quando eu era mais jovem, ele começou a permitir que eu desenvolvesse os dons do Espírito em minha vida. Deu-me um bom ambiente e circunstâncias para isso. Agora ele está usando esta fase para desenvolver os *frutos* do Espírito em minha vida. Perceber isso tem restaurado minha confiança no fato de que ele está falando e trabalhando em minha situação, mesmo agora, em meio ao caos alegre que é a maternidade.

Isso me faz esperar ainda mais — de maneiras únicas e surpreendentes que eu não teria percebido antes.

Se você tem pedido a Deus para mudar algo e, ainda assim, percebe que parece que ele não está optando por fazer isso, é muito provável que a mudança que ele deseja produzir seja em *você*. Peça-lhe que abra seus olhos para ver o que ele está fazendo e como está agindo.

Porque ele está.

Ele está fazendo isso.

E o que ele está fazendo é a palavra dele para você neste exato momento. Quanto mais você vir, mais poderá crer, mais esperança poderá ter, mais poderá esperar.

> Aqueles que passam cada dia com a profunda noção de que Deus fala estão em uma posição maravilhosa de receber sua Palavra.
>
> — Henry e Richard Blackaby

Disposto a esperar

A conversa de Habacuque com Deus não termina aqui. Há um segundo diálogo — aquele que leva à confirmação apoteótica da certeza da Palavra de Deus e de seu cumprimento. Essa segunda oração nos mostra um homem com a confiança restaurada. Ele ainda tem suas dúvidas, claro — nada de errado com isso —, mas, em vez de contorcer as mãos, ele descansa na expectativa. Tendo dedicado tempo para observar a obra das mãos de Deus com uma nova visão do que Deus está fazendo, ele já não está apontando o dedo de culpa para os céus. Tem certeza agora de que Deus está de fato interessado no que está acontecendo, e reafirma sua confiança no poder e na obra plenamente presente de Deus.

> Não és tu desde a eternidade,
> ó Senhor, meu Deus, ó meu Santo?
> Não morreremos.
> Ó Senhor, puseste aquele povo para executar juízo;
> tu, ó Rocha, o estabeleceste para servir de disciplina.
> Tu és tão puro de olhos, que não podes suportar o mal
> nem tolerar a opressão.
> Por que, então, toleras os traidores
> e te calas quando os perversos devoram
> aqueles que são mais justos do que eles?
>
> Habacuque 1.12-13, NAA

Embora enunciadas como perguntas, as observações do profeta são, na verdade, uma declaração. Cada pergunta exige uma resposta afirmativa — uma resposta que confirma a confiança restaurada do profeta. Elas revelam que, embora seus problemas e os detalhes pertinentes a eles não tivessem mudado muito, embora o mapa superficial ainda não parecesse muito melhor do que antes, o profeta tinha um novo reconhecimento e apreço pela posição, poder e autoridade de Deus. Ele sabia que Deus estava trabalhando. E com esse reconhecimento da magnitude daquele com quem ele estava lidando, seu nível de expectativa aumentou. Mesmo com as circunstâncias ainda inalteradas, ele já não se sentia compelido a olhar para baixo, em meio à solidão e desânimo. Seus olhos estavam focados no futuro, ansiosos por ver quais seriam a palavra e a obra de Deus a seguir.

Primeiro, a nova visão.

Depois, a nova confiança.

O resultado: um segundo fôlego para esperar.

> Estarei na minha torre de vigia,
> ficarei na fortaleza
> e vigiarei para ver
> o que Deus me dirá
> e que resposta eu terei
> à minha queixa. (2.1, NAA).

Habacuque tem a postura de alguém com uma grande expectativa de uma obra iminente de Deus. As palavras no hebraico para "ficarei" e "vigiarei" são termos militares. A compostura desse homem era militante. Sua postura era forte. Sua resolução era firme. Ele estava de prontidão, esperando completamente a resposta de Deus.

E determinado a esperar até que ele respondesse.

O uso dessa terminologia por Habacuque faz-me lembrar dos guardas do lado de fora do Palácio de Buckingham, em Londres. Quando o visitamos na primavera passada, nossos filhos ficaram encantados com aqueles guardas que não se mexiam por nada neste mundo. Sabe-se que turistas já fizeram caretas para eles e todos os tipos de coisas para tentar distraí-los, mas eles não piscam um olho nem movem um músculo. Sabem para o que foram designados e não se deixam ser distraídos de sua tarefa, nem mesmo por uma fração de segundo.

Mesmo estando Habacuque rodeado pelo caos da realidade, Deus lhe deu tanta confiança em quem ele era e no que poderia fazer que o profeta foi capaz de se posicionar com expectativa. Se valorizarmos a voz de Deus tanto quanto Habacuque valorizava, e se estivermos igualmente certos como ele estava de que Deus falará e que teremos a capacidade de ouvi-lo, estaremos determinados a "ficar" e "vigiarei" pacientemente. Estaremos dispostos a esperar. Lembre-se sempre: *há uma correlação direta entre nosso nível de expectativa de ouvir a voz de Deus e nossa disposição para esperar.*

Já admiti para você que esperar para ouvir a voz de Deus é difícil para mim. Imagino que provavelmente seja para você também. Mas aprendi esta verdade: o processo de esperar uma mensagem dele muitas vezes é tão importante quanto a mensagem em si. Enquanto espero, minha fé aumenta. A espera me prepara para receber a mensagem que está chegando e para responder com obediência. Em alguns casos, na verdade, a intimidade que desenvolvo com meu Pai enquanto estou esperando é a mensagem.

A espera é importante.

Você já esteve em um comboio, seguindo uma fila de carros que estão indo para o mesmo destino? Mas, em vez de permanecer na posição e confiar que o carro na liderança o guiará corretamente, talvez tenha decidido seguir seu próprio caminho, pegar um atalho ou parar para tomar um café, pensando: "Eu consigo encontrar o caminho sozinho". Com certeza, isso já aconteceu com os melhores de nós em algum momento da vida. Em vez de seguirmos pacientemente e aguardar as indicações do primeiro carro, pulamos à frente ou saímos do curso, certos de que nós mesmos poderíamos cuidar da direção. Muitas vezes, essa pressa e decisão excessivamente confiante levam a um resultado frustrante: ficamos perdidos. Dando voltas por minutos extras, talvez até mesmo horas, quem dera tivéssemos permanecido no caminho certo, confiado na pessoa ao volante daquele primeiro carro e sido pacientes o suficiente para acompanhar o comboio.

Recusar-nos a fazer isso nos custou tempo extra, dinheiro com combustível e energia emocional e mental. Parece que seguir em frente de maneira presunçosa muitas vezes gera esse resultado.

Quem me dera ter estado preparada para esperar antes de tomar uma decisão que realmente deixou esse ponto bem claro para mim. Minha amiga Rachel veio à minha casa para me mostrar um estudo bíblico que estava preparando para ajudar as mulheres a transformarem o lar em um santuário. Era incrível, muito perspicaz — assim como a própria Rachel, uma designer de interiores não só com grande talento, mas também com uma paixão profunda por compartilhar seus dons com os outros e render glória ao Senhor. Ela me mostrou a capa que havia feito para o que imaginava ser um estudo bíblico de doze semanas, uma série de vídeos, um diário e um livreto de brinde. Coisas sensacionais.

Então, quando ela perguntou, depois de colocar todo esse material à minha frente, se eu consideraria ser sua coautora no projeto, agarrei a oportunidade na mesma hora. Nem mesmo perguntei a Deus o que ele achava disso. Naquele momento, eu disse a ela que aceitava. Ela poderia contar comigo.

No entanto, depois de ter escrito os capítulos introdutórios e tê-los enviado a ela, eu soube que havia cometido um erro. Por meio de meu estudo bíblico pessoal e de uma impressão clara e consistente do Senhor, ele me mostrou que desejava que eu estivesse focada em outra coisa naquele momento. Meu comportamento impulsivo desordenou minha vida. Eu havia deixado a vontade de Deus de lado enquanto me precipitava com a minha.

Nunca me esquecerei da vergonha que estava sentindo de ligar para Rachel depois de alguns meses de trabalho árduo para dizer que, afinal, não poderia ser sua parceira nesse projeto. E eu poderia ter evitado todo esse martírio interior e constrangimento se tivesse simplesmente buscado a orientação do Senhor e esperado a resposta dele antes de me comprometer com o projeto. Eu não teria colocado minha amiga em uma situação delicada nem atrapalhado seus planos para concluir algo que era legitimamente importante para ela. Felizmente, ela foi gentil e compreensiva, mas eu ainda me senti terrível por tê-la colocado nessa situação.

A situação como um todo realmente tinha a ver com algo muito mais profundo: uma dúvida implícita de que ele falaria comigo sobre algo tão prático e pessoal, e de que eu poderia esperar encontrar sua vontade no processo de espera assim como em sua resposta.

Não são poucas as pessoas que se casaram, se mudaram para um estado diferente ou tomaram uma importante decisão profissional ou financeira antes de seguirem o exemplo de Habacuque e esperarem pacientemente para ouvir a voz de Deus, e que, por fim, descobriram mais tarde que estariam em uma situação muito melhor se tivessem feito isso.

É aqui também que precisamos tomar uma posição em nosso coração. Bem acima das realidades concretas que enfrentamos, posicionados onde podemos usar nossa visão espiritual para ter uma visão ampla de quilômetros ao redor, começamos aos poucos a receber uma perspectiva diferente sobre nossas perguntas, decisões e circunstâncias. Agora estamos olhando apenas para Deus, confiando em sua direção, voltando completamente nossa atenção para ele, sem nos preocupar com o que está acontecendo abaixo de nós nem com a velocidade com que nosso coração está nos dizendo para reagir ou responder. Desse ponto de vista firme, com nossas prioridades firmemente centradas em ouvir a voz de Deus, a espera se torna algo que realmente somos capazes de fazer.

Esperar com expectativa torna-se nossa norma.

Isso não seria incrível?

Mas isso realmente não deveria parecer tão absurdo ou tão impossível. *Já* esperamos — todos nós — por coisas que são importantes para nós. Ficamos ao lado do telefone por horas à espera de uma ligação sobre uma oportunidade de emprego ou um laudo do consultório médico. Ficamos na fila para comprar mantimentos ou para andar em uma montanha-russa. Esperamos pelos dias e semanas cheios de ansiedade antes de nosso casamento ou pelos longos meses antes do nascimento de nosso bebê. O valor que damos a algo, a sensação de expectativa que temos à medida que esse algo lenta e silenciosamente se aproxima e aparece, está diretamente relacionado ao tempo que estamos dispostos a esperar por ele.

Portanto, à medida que precisar, fique em seu posto e espere.

A palavra de Deus está vindo.

Com total confiança nele, fique em seu posto e espere, desejando a ele e ao som de sua voz mais do que qualquer coisa.

Ele está vindo.

Espere por ele.

> Se você deseja ouvir a voz de Deus claramente e está inseguro, permaneça na presença dele até que ele mude essa insegurança. Muitas vezes, muita coisa pode acontecer enquanto você espera no Senhor. Às vezes, ele transforma orgulho em humildade; dúvida em fé e paz; às vezes, lascívia em pureza. O Senhor pode fazer — e fará — isso.
>
> CORRIE TEN BOOM

Tenho certeza disso

Uma vez que a postura do profeta deixou de ser de dúvida para ser de confiança, e sua atitude deixou de ser de desânimo para ser de expectativa, Deus começou a dar a Habacuque instruções sobre o que ele deveria fazer. Lembre-se de que a mensagem inicial de Deus tinha por objetivo mudar a perspectiva do profeta e edificar sua confiança. Mas, dessa segunda vez, Deus falou para dar instruções específicas e orientação. É quase como se Deus estivesse dizendo: "Agora que você tem confiança e veio até mim esperando que eu responda, vamos lá!".

E foi aí que Deus fez ao seu amado a promessa encorajadora que está registrada em Habacuque 2.3 — *esta é uma visão do futuro*. "Se parecer que demora a vir, espere com paciência, pois certamente acontecerá; não se atrasará".

Isso é uma confirmação para todos nós. A palavra de Deus e seu cumprimento virão. Você tem a palavra dele sobre isso.

Então, espere mais do que nunca — não porque tem agora tudo o que precisa saber para seguir em frente a cada dia. Não porque Deus lhe deu clareza sobre como serão os próximos dez anos de sua vida. Não porque as circunstâncias, de repente, se acalmaram e você já não precisa da intervenção de Deus. Mas espere porque Deus lhe deu a promessa dele.

E *isso*... isso é o suficiente.

> Continuamos a olhar para o SENHOR, nosso Deus,
> esperando sua compaixão,
> como os servos que olham para as mãos de seus senhores,
> e a serva que olha para a mão de sua senhora.
>
> Salmos 123.2

Mal posso esperar para ver o que vem a seguir.

É aí que Deus deseja que você esteja — esperando ansiosamente por ele, movendo-se à medida que ele se move, observando enquanto ele conduz. Ele pode levá-lo ao desafio e à dificuldade. Pode colocá-lo bem no meio de uma nova oportunidade e responsabilidade. Ou pode iniciar uma temporada de descanso, renovação e celebração para você. Mas esses são apenas os detalhes. A beleza de tudo isso é que você está indo com ele, certo de que ele proverá, sintonizado com os propósitos maiores de Deus e esperando constantemente mais daquele que abençoa seus filhos "de acordo com as riquezas [de sua] graça" (Ef 1.7, NVI).

É por isso que, quando chegamos às palavras finais de seu livro, sabemos exatamente de onde vem a tão conhecida bênção de Habacuque. Agora podemos entender por que ele pôde orar estas palavras finais com tanta confiança, fé e alegria. Mesmo com a adversidade ainda no horizonte, o profeta pôde permanecer firme e dizer...

> Ainda que a figueira não floresça e não haja frutos
> nas videiras,
> ainda que a colheita de azeitonas não dê em nada
> e os campos fiquem vazios e improdutivos,
> ainda que os rebanhos morram nos campos e os currais
> fiquem vazios,
> mesmo assim me alegrarei no Senhor;
> exultarei no Deus de minha salvação!
>
> Habacuque 3.17-18

Não sei o que o trouxe à porta de Deus nesta hora do dia ou da noite — algo que diz respeito a um relacionamento, algo financeiro, talvez algo trágico, algo aparentemente sem razão. Não sei quais são os tipos de decisões que você está tendo de tomar em sua família, em seu trabalho, em sua saúde, em seu futuro.

Mas eu sei disto: a santa expectativa de Habacuque pode ser a nossa também. Assim como admiráveis personagens bíblicos de antigamente, não precisamos clamar a Deus e, em seguida, ir embora, desanimados. Eles o invocaram e...

Ele respondeu. Conduziu. Deu conselhos. Guiou.

Ele fala.

Deus fala.

Seu Senhor e Salvador fala. Com você.

Então, acorde esperando. Chegue esperando. Venha esperando. Viva esperando. Nunca pare...

De esperar.

De onde ele está — dentro de você — até onde quer que você esteja, seu Deus falará persistente e pessoalmente, com paz e desafio, em sua verdade e autoridade, a fim de capacitá-lo a conhecê-lo e experimentá-lo, ser convidado a participar de seus planos eternos para esta era e ver e sentir em primeira mão as bênçãos incomparáveis da obediência.

Essa é a Palavra de Deus.

Essa é a promessa de Deus.

Agora, amado... viva como quem crê nisso.

Fontes das citações

As citações de Kay Arthur foram fornecidas à autora.
A citação de Pat Ashley foi fornecida à autora.
Henry Blackaby e Richard Blackaby. *Hearing God's Voice*. B&H Books, 2002.
A história de Jill Briscoe no capítulo 10 foi extraída de seu livro *Spiritual Arts: Mastering the Disciples for a Rich Spiritual Life*. Zondervan, 2007.
Lewis Sperry Chafer. *He That Is Spiritual: A Classic Doctrine of Spirituality*. Zondervan, 1983. [No Brasil, *Aquele que é espiritual*. São Paulo: Imprensa Batista Regular, 1968.]
Oswald Chambers. *My Utmost for His Highest*.
Elisabeth Elliot. *On Asking God Why: Reflections on Trusting God*. Revell, 2006.
Matthew Henry (1662–1714) foi um clérigo inglês que escreveu comentários sobre o Antigo e o Novo Testamentos.
Joyce Huggett. *The Joy of Listening to God*. IVP Books, 1987.
Jan Johnson. *When the Soul Listens: Finding Rest and Direction in Contemplative Prayer*. NavPress, 1999. Veja também janjohnson.org.
Anne Graham Lotz. *Pursuing More of Jesus*. Thomas Nelson, 2009.
Peter Lord. *Hearing God*. Baker, 1988.
J. I. Packer. *Knowing God*. InterVarsity Press. [No Brasil, *O conhecimento de Deus*. São Paulo: Cultura Cristã, 2016.]
Hannah Whitall Smith. *The Christian's Secret to a Happy Life*, domínio público. [No Brasil, *O segredo do cristão para uma vida feliz*. São Paulo: Vida, 2013.]
Bob Sorge. *Secrets of the Secret Place*. Oasis House, 2009. [No Brasil, *Segredos do lugar secreto*. Belo Horizonte: Atos, 2015.]

Corrie ten Boom. *Not I, but Christ*. Revell, 1997.

A. W Tozer. *Man: The Dwelling Place of God*. Wingspread Publishers. [No Brasil, *Homem: o local onde Deus habita*. São Paulo: United Press, 2020.]

Steve Verney. *Fire in Coventry*. Hodder and Stoughton, 1965.

Bruce Wilkinson. *Secrets of the Vine: Breaking through to Abundance*. Multnomah, 2006. [No Brasil, *Segredos da Vinha*. São Paulo: Mundo Cristão, 2002.]

A citação de Philip Yancey no capítulo 3 foi fornecida à autora.

Agradecimentos

Aos meus filhos: Jackson, Jerry Jr. e Jude. Sua fé pueril e seu interesse curioso pelas coisas de Deus são a alegria de meu coração. Nossas conversas sobre coisas espirituais, instigadas por suas perguntas, antes de dormir ou enquanto fazemos nossas tarefas, têm sido a parte mais cativante de ser a mãe de vocês. Espero que nunca deixem de buscar a Deus e as coisas dele. Busquem-no. Ouçam-no. Sigam-no. Amo vocês.

Na primeira impressão deste livro, agradeci a todos os meus quatro avós e escrevi: "Se vocês virem o Senhor primeiro, digam que estou indo". A partir daquele momento, meu avô materno foi para o céu. Ele viveu e morreu bem. Tenho certeza de que quando encontrou o Senhor, ouviu um vibrante "Muito bem, meu servo bom e fiel". Sou grata por sua vida e legado e tenho a honra de ainda ter três avós caminhando comigo na jornada da vida. Agradeço a todos vocês por suas contínuas orações, conselhos, sabedoria e exemplo de temor a Deus.

Um agradecimento especial a Lawrence, meu amigo e parceiro de escrita. Que bênção é trabalhar com você! Obrigada por me ajudar a renovar e atualizar este livro tão importante para mim.

Greg Thornton e meus amigos da Moody Publishers. Jerry e eu trabalhamos com vocês há quase quinze anos, e o privilégio tem sido nosso. Obrigada por permitirem que este livro tivesse a honra de carregar o selo de vocês. O legado de fé e fidelidade da Moody Publishers é um diferencial incrivelmente importante e valioso para este livro e para nosso ministério. Obrigada.

Esta obra foi composta com tipografia Adobe Caslon
e impressa em papel Pólen Natural 70 g/m² na gráfica Santa Marta

Compartilhe suas impressões de leitura,
mencionando o título da obra, pelo e-mail
opiniao-do-leitor@mundocristao.com.br
ou por nossas redes sociais

Sobre a autora

Priscilla Shirer é esposa e mãe em primeiro lugar, mas coloque nas mãos dela uma Bíblia e no coração uma mensagem, e você verá por que milhares de pessoas encontram Deus poderosamente nas conferências que ela realiza. É autora de vários livros e estudos bíblicos que são sucessos de venda, e também atua como atriz de filmes cristãos. Ela e o marido, Jerry, lideram o ministério Going Beyond Ministries (www.goingbeyond.com) em sua cidade natal, Dallas, no Texas, nunca longe dos três filhos.